bibli

L'Île des esclaves

Marivaux

Notes, questionnaires et synthèses
par Isabelle de Lisle,
agrégée de Lettres modernes,
docteur ès lettres,
professeur en lycée

Conseiller éditorial : Romain LANCREY-JAVAL

Texte conforme à l'édition de 1725

Sommaire

ISBN 978-2-0116-8696-1

www.hachette-education.com
© Hachette Livre, 2003, 43, quai de Grenelle 75905 Paris Cedex 15.
Tous droits de traduction, de reproduction et d'adaptation réservés pour tous pays.

L'Île des esclaves: une comédie au siècle des Lumières

Annexes

P. C. de MARIVAUX.

Né en 1688., mort en 1763.

Au XVIIIe siècle, la Comédie-Française fait référence; en continuant à représenter les comédies de Molière ou les tragédies de Corneille et de Racine, elle exprime le poids du modèle classique dans la littérature du siècle des Lumières.

Cependant, après la fin austère du règne de Louis XIV, le Régent Philippe d'Orléans autorise dès 1716 le retour des Comédiens-Italiens expulsés en 1697. Pierre Carlet de Chamblain (Marivaux), jeune auteur engagé du côté des Modernes, est immédiatement séduit par l'inventivité de la commedia dell'arte.

Brodant des jeux de scènes acrobatiques, les *lazzis*, sur la trame d'un *scénario*, le comédien-italien renoue avec la tradition festive de la comédie latine. Vêtu d'un costume fait de losanges colorés, Arlequin montre bien que le théâtre n'est pas le réel. La comédie ose dès lors sortir des salons bourgeois et de la vraisemblance imposée par les règles classiques: Marivaux, dans *L'Île des esclaves*, utilise l'espace clos de la scène pour imaginer une île sur laquelle des esclaves grecs révoltés ont instauré une nouvelle hiérarchie sociale. Iphicrate et Euphrosine, accompagnés de leurs esclaves res-

Arlequin, *Empereur de la lune*, par J.-A. Watteau (détail).

pectifs, Arlequin et Cléanthis, ont fait naufrage sur cette île coupée du réel. Sous l'autorité de Trivelin, un valet de la commedia dell'arte promu représentant de la république des esclaves, voilà nos quatre naufragés contraints d'échanger leurs habits et, bien entendu, leurs conditions. Arlequin et Cléanthis deviennent des maîtres pour le plus grand bonheur des spectateurs qui savourent leur spontanéité et la façon dont ils imitent le langage galant des mondains du XVIIIe siècle. Pendant ce temps, Iphicrate et Euphrosine apprennent le douloureux silence de la servitude.

Marivaux n'est certes pas un révolutionnaire. Dans cette pièce en un acte, resserrée, il respecte aisément les trois unités du théâtre classique. Sa comédie s'inscrit sans conteste dans la tradition du XVIIe siècle : des pirouettes, des effets de symétrie, un renversement carnavalesque hérité de la farce médiévale, un dénouement heureux. Pour séduire ses contemporains, il brode sur les thèmes à la mode. À une époque où l'on aime les récits de voyages et les contrées exotiques, il imagine une île. Après le succès de *Utopie* (1516) de Thomas More ou de *L'Autre Monde ou les États et Empires de la Lune* (1657) de Cyrano de Bergerac et avant l'Eldorado évoqué par Voltaire dans *Candide* (1759), il propose lui aussi, mais au théâtre, une utopie. Chez Marivaux, les influences multiples se croisent et semblent s'enrichir mutuellement pour produire un spectacle tout en finesse dans lequel le comique sait parfois devenir grave et profond.

Lorsque le rideau tombe, après un divertissement qui vient fêter la réconciliation, tout est rentré dans l'ordre… ou presque. Et le spectateur, lui aussi, est le même qu'au départ… ou presque. Il a ri, il s'est ému, et peut-être a-t-il été touché par le nouvel ordre moral esquissé par Marivaux.

Marivaux, un écrivain au siècle des Lumières

Marivaux, un auteur Moderne

Sous Louis XIV

Pierre Carlet de Chamblain de Marivaux

En province

Pierre Carlet de Chamblain naît le 4 février 1688 (le pseudonyme « Marivaux » sera adopté en 1717) à Paris dans un milieu de petite noblesse. Les informations concernant l'enfance de Marivaux sont peu nombreuses. En 1699, on retrouve la famille Carlet en Auvergne, à Riom, où son père exerce la profession de contrôleur puis de directeur de la Monnaie. La famille Carlet a peut-être aussi habité Limoges. Le jeune Pierre reçoit une éducation classique, vraisemblablement au collège des Oratoriens de Riom.

À Paris

En 1710, Marivaux est inscrit à la faculté de droit de Paris sans doute avec l'intention de reprendre ensuite la charge de contrôleur de son père. Mais il abandonne assez rapidement ses études pour se tourner vers la littérature. Il fréquente les salons littéraires où il fait notamment la connaissance du philosophe Fontenelle.

Dans la querelle finissante qui, depuis le XVIIe siècle, oppose les Anciens, partisans du respect de la tradition antique et classique, et les Modernes, partisans d'un renouvellement des formes, Marivaux prend nettement le parti des Modernes. En 1712, il publie une comédie, *Le Père prudent et équitable*, qu'il a rédigée en 1706. En 1713, il écrit deux romans, *Pharsémon ou les Folies romanesques* (publié en 1737) et *Les Effets surprenants de la sympathie* qui traite déjà le thème à la mode du naufrage. Puis il écrit trois romans parodiques entre 1714 et 1715 : *Le Bilboquet, La Voiture embourbée, Le Télémaque travesti.* Ce dernier roman, publié anonymement en 1736, est une parodie des *Aventures de Télémaque* de Fénelon parues en 1699.

Au travers ces romans de jeunesse, on voit déjà, chez Marivaux, une volonté d'être moderne et un rejet du conventionnel.

À retenir

La querelle des Anciens et des Modernes Dans cette querelle qui date du XVIIe siècle, Marivaux est du côté des Modernes.

Premiers succès sous la Régence

Quelques années de bonheur

Marivaux, en 1717, entreprend de collaborer à un journal, *Le Nouveau Mercure*, pour lequel il écrit les *Lettres sur les habitants de Paris.* Son talent d'observateur critique transparaît également dans une parodie, *L'Iliade travestie.* La même année, il épouse, par amour, la fille d'un riche bourgeois de Sens, Colombe Bollogne, avec qui il a une fille, Colombe-Prospère, en 1719.

Une rencontre décisive

En 1716, les Comédiens-Italiens, chassés par Louis XIV en 1697 à cause d'une pièce qui ridiculisait Madame de Maintenon, sont rappelés ; ils reviennent dans un Paris plus fantaisiste et libertin. Marivaux, partisan des Modernes, est séduit pas la vivacité des dialogues, l'association complexe de stéréotypes et d'improvisations. Il devient l'auteur attitré de la troupe et adapte ses pièces à la personnalité des acteurs.

Des années sombres

Marivaux perd son père en 1719 et n'obtient pas l'autorisation de lui succéder dans sa charge de directeur de la Monnaie. En 1720, il est ruiné à la suite de la faillite de Law. Le financier écossais, directeur de la Banque générale, avait mis en place un système monétaire fondé sur l'émission de billets. Mais la spéculation ainsi que les efforts de ses ennemis ont entraîné la ruine du système. Cette banqueroute dans laquelle beaucoup ont été ruinés retardera sans doute l'évolution économique et monétaire de la France au XVIIIe siècle.

Marivaux perd sa femme en 1723; il devra écrire pour faire vivre sa petite fille. Sa vie est restée très simple ou très secrète; après le décès de son épouse, on parle bien d'une aventure avec Silvia son actrice italienne favorite mais en réalité on lui connaît plus des amitiés que des liaisons amoureuses.

À retenir

Les difficultés de la biographie
La vie privée de Marivaux est mal connue car c'était un homme secret.

Une carrière littéraire brillante

Une vie réduite à la littérature?

On ne sait pas grand-chose de la vie de Marivaux et tout laisse à penser qu'il se consacre à son travail littéraire. Il fréquente le salon de Madame de Lambert puis, après son décès, celui de Madame de Tencin qui favorisera son élection à l'Académie française en 1742, privant Voltaire d'un honneur qu'il briguait et s'attirant par là de sévères critiques de la part du philosophe. On le voit aussi dans les salons littéraires de Madame du Deffand et de Madame Geoffrin. Les œuvres de Marivaux sont nombreuses et variées. Il se présente à la fois comme journaliste, romancier et homme de théâtre.

Un journaliste

Marivaux exprime ses opinions sociales et politiques dans les salons mais aussi dans ses articles, notamment pour *L'Indigent philosophe*. En 1734, il fait paraître pendant quelques mois une revue, *Le Cabinet du philosophe.* Sans doute applique-t-il dans son œuvre romanesque et théâtrale l'esprit d'observation ironique dont il fait preuve comme journaliste.

Un romancier

Il écrit deux romans – qui resteront inachevés – formant une sorte de diptyque : *Le Paysan parvenu* (1734) et *La Vie de Marianne* (1731-1742). Ces deux récits à la première personne racontent l'ascension sociale de deux personnages. Marivaux détaille l'analyse psychologique et pose sur la société de son temps un regard lucide et ironique.

Un auteur de théâtre

Le succès de Marivaux est lié à celui de la troupe des Italiens. Pourtant, le Théâtre-Français était plus prestigieux et Marivaux a tenté à plusieurs reprises d'y associer son nom : ainsi, en 1727, il écrit pour les Français *La Seconde surprise de l'amour* et *L'Île de la raison*. Les Italiens, n'appréciant pas la trahison de leur auteur, mettent en scène, la même année, une parodie intitulée *L'Île de la folie.* Mais Marivaux restera l'auteur attitré des Italiens : des vingt-sept comédies qu'il a composées entre 1722 et 1746, dix-huit sont destinées aux Italiens et ce sont celles qui ont remporté les plus grands succès.

À retenir

De multiples talents
Marivaux est à la fois journaliste, romancier et homme de théâtre.

On a l'habitude de distinguer chez Marivaux les comédies amoureuses et les comédies sociales. Appartiennent à la première catégorie : *Arlequin poli par l'amour* (1720), *La Surprise de l'amour* (1722), *La Double Inconstance* (1723), *Le Prince travesti* et *La Fausse Suivante* (1724), *Le Jeu de l'amour et du hasard* (1730), *Le Triomphe de l'amour* (1732), *Les Fausses Confidences* (1737), *L'Épreuve* (1740). Marivaux reprend les règles du théâtre classique telles que Molière les appliquait mais parvient à renouveler le genre en affinant l'analyse psychologique et en créant des dialogues qui rebondissent avec subtilité de réplique en réplique ; c'est le fameux marivaudage, un substantif, critique au départ, pour désigner cette utilisation souple et dynamique du langage. *L'Île des esclaves* (1725), *L'Île de la raison* (1727) et une pièce, aujourd'hui perdue, *La Colonie* (1750) quittent le domaine amoureux pour poser des questions d'ordre social.

À retenir

Marivaux et la comédie
Tout en respectant les règles classiques, Marivaux renouvelle le genre de la comédie.

Les dernières années

De plus en plus seul

En 1739, Thomassin, l'acteur italien qui tenait le rôle d'Arlequin, décède et c'est comme si l'Arlequin de Marivaux mourait lui aussi car l'auteur des Italiens n'emploiera plus ce personnage dans ses comédies. En 1745, Colombe-Prospère annonce à son père sa décision de se retirer dans le couvent de l'Abbaye du Trésor. Très seul, Marivaux décide de prendre pension chez une de ses amies Mademoiselle Saint-Jean, auprès de qui il restera jusqu'à la fin de ses jours. Il est également bouleversé par le décès de Madame de Tencin dont il fréquentait le salon.

Une production réduite

Les pièces de Marivaux deviennent rares: *La Femme fidèle* (1755), *Les Acteurs de bonne foi* (1755). Il continue à écrire des articles pour *Le Nouveau Mercure* (1751-1755). Malade en 1758, il se tient à l'écart et se fait peu à peu oublier. Il meurt à Paris le 12 février 1763.

On peut retrouver l'univers des salons au XVIIIe siècle, que Marivaux connaissait bien, dans des films comme ici *Les Caprices d'un fleuve* de Bernard Giraudeau.

La France en 1725

Marivaux écrit ses comédies après Molière et, comme lui, il pose sur la société de son temps un regard critique. Mais le regard n'est pas le même. Marivaux écrit à une époque d'ébullition et de remise en cause sociale et politique qui débouchera quelques décennies plus tard sur la Révolution. Sans céder à la tendance facile qui consiste à observer le XVIIIe siècle avec l'éclairage des événements de 1789, on doit situer *L'Île des esclaves* dans le contexte politique, social et culturel des Lumières.

Une société qui se libère

À retenir

Après le règne du Roi-Soleil
Louis XIV meurt en 1715. Philippe d'Orléans assure la Régence.

Louis XIV, Philippe d'Orléans et Louis XV

Les dernières années du règne de Louis XIV furent particulièrement sombres. Le roi, qui a su éblouir toutes les cours européennes, a ruiné le pays qui connaît la famine (le terrible hiver de 1709) et la guerre. Celle de la Succession d'Espagne (1701-1714) a beaucoup affaibli le royaume et la cour n'est plus aussi brillante qu'autrefois car Louis XIV, sous l'influence de Madame de Maintenon qu'il a secrètement épousée en 1684, impose à tous une austérité religieuse. Aussi la mort du Roi-Soleil, en 1715, est-elle vécue comme un espoir de renouvellement. Louis XV, l'arrière-petit-fils de Louis XIV, n'est alors qu'un enfant. Le duc Philippe d'Orléans va assurer la Régence jusqu'en 1723. Il cherche à maintenir la paix et à alléger ainsi les dépenses de guerre afin d'assainir les finances de l'État. Mais, devant composer avec les différentes forces qui s'opposaient à l'absolutisme de Louis XIV, il ne parvient pas à remettre en cause les privilèges de la noblesse.

Louis XV règne de 1723 à 1774. Populaire au début de son règne, il se lance ensuite dans des guerres qui seront sources de dettes : la guerre de la Succession d'Autriche (1742-1748), la guerre de Sept Ans (1756-1763) contre l'Angleterre et la Prusse qui entraînera la perte du Canada et de la Louisiane. Comme le Régent, Louis XV tente de faire payer des impôts à la noblesse et au clergé, mais toute réforme est impossible.

Sous la Régence comme sous Louis XV, l'Europe connaît un essor économique reposant notamment sur un développement du commerce qui se traduit par une croissance démographique. Mais ces progrès profitent aux gros propriétaires et à une grande bourgeoisie qui n'accepte plus les privilèges d'une noblesse inactive. La faillite du système Law, en 1720, a entraîné de nombreuses ruines en France et une méfiance des Français pour tout système fiduciaire, ce qui nuira pendant longtemps à l'évolution de la vie financière en France.

À retenir

Un certain essor
La Régence et le règne de Louis XV sont des périodes de prospérité malgré des guerres peu populaires.

Une société libertine

Les mœurs du Régent et de ses compagnons, appelés les « roués » (les fourbes), ternissent l'image de la monarchie et préparent son déclin. Sans doute cette vie libertine* qui se montre épicurienne* jusqu'à la débauche est-elle une réaction à la rigueur des dernières années du règne de Louis XIV. Le poème de Voltaire, *Le Mondain* (1736), exprime cette quête du bonheur dans le plaisir et dans l'instant. Les mœurs licencieuses s'habillent du masque raffiné de la bonne éducation et de l'esprit. Les pièces de Marivaux rendent compte de cette atmosphère légère des salons et des rencontres galantes. D'autres œuvres, comme

Les *Égarements du cœur et de l'esprit* (1736) de Crébillon ou, plus tard, *Les Liaisons dangereuses* (1782) de Laclos, expriment plus clairement encore cette conception libertine* et calculatrice d'un amour réduit au plaisir.

La condition des valets

Très nombreux à Paris parce que signes de grande fortune, les valets vivent dans des conditions souvent précaires. Les coups de bâton existent comme le rappelle Marivaux dans *L'Île des esclaves* et les serviteurs sont dépersonnalisés par leur changement de nom. «*Je n'ai que des sobriquets qu'il m'a donnés; il m'appelle quelquefois Arlequin, quelquefois Hé*» dit l'Arlequin de *L'Île des esclaves*. Dans *Le Jeu de l'amour et du hasard*, le valet, Bourguignon, porte simplement le nom de sa région d'origine. Mais, proches des hautes classes sociales, certains valets parviennent à s'instruire. Ainsi, le Figaro de Beaumarchais (*Le Barbier de Séville*, *Le Mariage de Figaro*) est beaucoup plus fin et revendicatif dans les dernières années du siècle que l'Arlequin de la commedia dell'arte*.

Une pensée qui se libère : les Lumières

Mondanité et culture

Sous Louis XIV, c'est à la cour de Versailles que se déroulent les principales manifestations culturelles. Sous la Régence et sous Louis XV, les cafés et les salons sont des lieux de rencontres où s'échangent des idées et des critiques. Usbeck, le Persan des *Lettres persanes* de Montesquieu (1721), remarque que «*le café est très en usage à*

Paris; il y a un grand nombre de maisons publiques où on le distribue»; on y joue aux échecs et on y discute littérature. Cafés et clubs (une mode venue d'Angleterre) se multiplient et favorisent le développement de l'esprit critique. Les philosophes s'y retrouvent et y expriment leurs positions. Ils se rencontrent également dans les salons que Marivaux a beaucoup fréquentés, notamment ceux de Madame de Lambert, Madame de Tencin, Madame du Deffand ou Madame Geoffrin. Il a pu y observer le langage précieux qu'il critique dans *L'Île des esclaves* ou dans d'autres comédies tel *Le Jeu de l'amour et du hasard*; il a pu aussi échanger des idées avec des philosophes comme Fontenelle.

À retenir

Une vie mondaine Marivaux fréquente les salons; il y observe la société et son langage.

Les philosophes

Déjà, au XVIIe siècle, Descartes s'était proposé de faire table rase des connaissances acquises et de reconstruire un savoir grâce à la seule raison. Il n'est plus question de faire aveuglément confiance à un héritage culturel; il faut désormais penser par soi-même. En 1686, dans le célèbre épisode de la «Dent d'or» (*Histoire des oracles*, 1686), Fontenelle poursuivit cette voie qui débouche sur le siècle des Lumières; il remet en cause les idées préconçues et installe la pensée critique.

Les nombreux récits de voyages jouent également un rôle dans le développement de la critique: on découvre de nouvelles civilisations. Il devient possible de comparer, de repenser la suprématie du christianisme et de commencer à croire que l'on peut dissocier morale et religion. Les philosophes des Lumières, notamment Voltaire, critiquent l'institution religieuse. Ils remettent en cause aussi la monarchie absolue. Le philosophe anglais Locke

(1632-1704) a fait l'éloge du partage des pouvoirs qui caractérise la monarchie anglaise et Montesquieu, dans *Les Lettres persanes* (1721) et surtout dans *L'Esprit des lois* (1748), critique l'absolutisme français et prône un système parlementaire à l'anglaise. Mais il s'agit plus d'aménager le régime en place que de réellement remettre en cause les fondements de la société. Marivaux, en 1725, ne peut concevoir une société fondamentalement différente de celle qu'il connaît. L'inversion qu'il met en scène est loin d'être prérévolutionnaire.

C'est dans la seconde moitié du siècle que les Lumières affirmeront la suprématie de la raison dont le symbole sera la rédaction, sous la direction de Diderot et de D'Alembert, de l'*Encyclopédie* (1751-1772).

Le théâtre à Paris en 1725

Les différents théâtres

En 1697, Louis XIV, sous l'influence de Madame de Maintenon, avait fait chasser les Comédiens-Italiens et au début du XVIIIe siècle, il n'existait donc plus que deux théâtres officiels : l'Opéra et la Comédie-Française, appelée aussi Théâtre-Français. En 1716, le Régent fait revenir les Italiens. On compte désormais trois scènes officielles auxquelles s'ajoute le théâtre populaire appelé « de la Foire ».

L'Opéra est le plus apprécié car les Parisiens aiment l'association du théâtre et de la musique. La Comédie-Française, constituée en 1680 par la fusion de deux troupes à l'origine concurrentes, celle de Molière et celle de l'hôtel de Bourgogne, reprend les succès du siècle précédent qu'il s'agisse des pièces de Corneille, de Racine ou de Molière. On y joue aussi des tragédies du XVIIIe siècle comme celles de Voltaire. La Comédie-Italienne est moins prestigieuse ; on y donne toutes sortes de pièces – en français ou en italien – des farces grossières comme des comédies subtiles de Marivaux, leur auteur attitré. Les scènes « de la Foire » présentent des pièces à succès, comme celles d'auteurs connus tel Lesage ; n'hésitant pas à diversifier les formes, elles participent à l'évolution du théâtre en France.

La commedia dell'arte

La commedia dell'arte* est née en Italie au début du XVIe siècle. Ce théâtre très codifié met en scène des personnages types qui ne changent pas d'une pièce à l'autre : Dottore le pédant, Pantalon l'avare, Arlequin, Scapin, Polichinelle, les *zanni*, c'est-à-dire les valets. L'intrigue est réduite à un schéma, le scénario, et les acteurs brodent sur ce canevas en ajoutant toutes les acrobaties (les *lazzis*, c'est-à-dire les jeux de scène) qui correspondent à leur rôle. Les troupes italiennes se sont déplacées dans toute l'Europe influençant particulièrement le théâtre français. Molière et surtout Marivaux ont repris les personnages types de la commedia dell'arte.

À retenir

L'influence déterminante du théâtre italien
La commedia dell'arte* met l'accent sur les jeux de scène et l'improvisation.

Marivaux en son temps

	Moments clés de la vie de Marivaux	Événements historiques et culturels
1684		Mort de Corneille.
1687		Newton présente sa théorie sur la gravitation universelle.
1688	Pierre Carlet de Chamblain de Marivaux naît à Paris le 4 février.	La Bruyère publie *Les Caractères*.
1695		Mort de La Fontaine.
1697		Louis XIV ordonne aux Comédiens-Italiens de quitter Paris.
1698	Nicolas Carlet est nommé contrôleur de la Monnaie à Riom.	
1699		Mort de Racine. Fénelon écrit *Les Aventures de Télémaque*.
1702	Nicolas Carlet est nommé directeur de la Monnaie.	
1704		Galland commence la traduction des *Mille et Une Nuits*.
1709		Lesage écrit sa pièce *Turcaret*.
1710	Il s'inscrit à la faculté de droit de Paris.	Leibnitz, philosophe allemand, écrit *Essais de Théodicée*.
1711		Mort de Boileau.
1712	Il publie sa première comédie, *Le Père prudent*.	
1713	Il écrit deux romans : un roman parodique qui ne paraîtra qu'en 1737, *Pharsamon ou les Nouvelles Folies romanesques*, et *Les Aventures de *** ou les Effets surprenants de la sympathie*.	
1714	Il écrit un roman, *La Voiture embourbée*, et une satire, *Le Triomphe Bilboquet*.	
1715	Il parodie Fénelon dans son roman *Le Télémaque travesti* qui ne paraîtra qu'en 1736.	Mort de Louis XIV ; début de la Régence de Philippe d'Orléans. Lesage écrit *Histoire de Gil Blas de Santillane*. Watteau peint *Les Acteurs de la Comédie-Italienne*.

	Moments clés de la vie de Marivaux	Événements historiques et culturels
1716	Il écrit un poème parodique : *L'Homère travesti ou l'Iliade en vers burlesques*.	Les Comédiens-Italiens reviennent à Paris. Le financier Law fonde la Banque générale.
1717	Il épouse Colombe Bollogne et collabore avec le journal *Le Nouveau Mercure* avec des *Lettres sur les habitants de Paris*.	Watteau peint *L'Embarquement pour Cythère*.
1718		Publication posthume des *Mémoires* du Cardinal de Retz. Watteau peint *L'Amour au théâtre italien* et *Les Fêtes galantes*.
1719	Naissance de Colombe-Prospère. Mort de Pierre Carlet.	Daniel Defoe, écrivain anglais, écrit *Robinson Crusoé*.
1720	Il obtient un grand succès au Théâtre-Italien avec *L'Amour et la Vérité* et *Arlequin poli par l'amour*. Il est ruiné par la faillite de Law.	Watteau peint sa dernière toile : *L'Enseigne de Gersaint*.
1721	Il commence à publier une revue, *Le Spectateur français* (jusqu'en 1724).	Montesquieu écrit *Les Lettres persanes*. Bach, musicien allemand, compose les *Concertos brandebourgeois*.
1722	Il fait jouer *La Surprise de l'amour* au Théâtre-Italien.	
1723	Il obtient un grand succès au Théâtre-Italien avec *La Double Inconstance*. Sa femme meurt.	Début du règne de Louis XV.
1724	*Le Prince travesti* et *La Fausse Suivante* au Théâtre-Italien; *Le Dénouement imprévu* au Théâtre-Français.	Fondation de la Bourse de Paris.
1725	Représentée au Théâtre-Italien, *L'Île des esclaves* obtient un grand succès.	
1726	Il entreprend la rédaction de son roman *La Vie de Marianne*. *L'Île des esclaves* est jouée à la cour.	Vivaldi, un musicien italien, compose *Les Quatre Saisons*. Swift publie *Les Voyages de Gulliver*. Début du ministère Fleury.

	Moments clés de la vie de Marivaux	Événements historiques et culturels
1727	Il publie un journal, *L'Indigent philosophe*. Au Théâtre-Français, *L'Île de la raison* et *La Seconde Surprise de l'amour* ne connaissent pas un très grand succès.	
1729	*La Nouvelle Colonie ou la Ligue des femmes*.	
1730	*Le Jeu de l'amour et du hasard* est très applaudi au Théâtre-Italien.	
1731	Il commence à publier *La Vie de Marianne* (jusqu'en 1736).	L'Abbé Prévost publie son roman *Manon Lescaut*.
1732	*Le Triomphe de l'amour* est joué au Théâtre-Italien puis à la cour.	Voltaire publie *Zaïre*.
1733	*L'Heureux Stratagème* au Théâtre-Italien.	**Guerre de la Succession de Pologne (jusqu'en 1738).**
1734	Il fait paraître un journal, *Le Cabinet du philosophe* et commence la publication de son roman *Le Paysan parvenu* (jusqu'en 1742).	Voltaire fait paraître *Les Lettres philosophiques*.
1735	*La Mère confidente* au Théâtre-Italien.	**Le musicien Rameau compose *Les Indes galantes*.**
1736	Il publie de manière anonyme *Le Télémaque travesti*.	Crébillon fils publie son roman, *Les Égarements du cœur et de l'esprit*.
1737	*Les Fausses Confidences* ont peu de succès au Théâtre-Italien. Il reprend *Les Fausses Confidences* qui obtiennent finalement un grand succès au Théâtre-Italien.	
1739	Thomassin, l'interprète d'Arlequin, meurt.	**Guerre de la Succession d'Autriche (jusqu'en 1748).**
1740	*L'Épreuve* au Théâtre-Italien.	
1742	Il est élu à l'Académie française.	
1744	Échec de *La Dispute* au Théâtre-Italien.	**Guerre coloniale avec l'Angleterre (jusqu'en 1758).**
1745	Colombe-Prospère, sa fille, entre au couvent.	
1746	Il obtient un succès au Théâtre-Français avec *Le Préjugé vaincu*.	**Voltaire est élu à l'Académie française.**

	Moments clés de la vie de Marivaux	Événements historiques et culturels
1747		Voltaire publie *Zadig*.
1748		Montesquieu publie *De l'esprit des lois*. Par le traité d'Aix-la-Chapelle, la Prusse devient une grande puissance.
1749	Son amie, Madame de Tencin, meurt.	Diderot publie *Lettre sur les aveugles*.
1751		Diderot et d'Alembert commencent la rédaction de l'*Encyclopédie*.
1754	Il écrit un dialogue politique, *L'Éducation d'un prince*.	
1755		Rousseau publie son *Discours sur l'origine et les fondements de l'inégalité parmi les hommes*. Tremblement de terre à Lisbonne.
1756	*L'Île des esclaves* est jouée à la cour de Gotha.	Début de la guerre de Sept Ans.
1757	Il publie deux comédies, *Félicie* et *Les Acteurs de bonne foi*.	Damiens tente d'assassiner Louis XV.
1759		Voltaire fait paraître *Candide* sous un pseudonyme ; l'*Encyclopédie* est interdite.
1761		Rousseau publie son roman *Julie ou La Nouvelle Héloïse*.
1762		Rousseau publie deux essais : *Du contrat social* et *Émile ou de l'Éducation*.
1763	Il meurt à Paris le 12 février.	Par le traité de Paris, la France perd le Canada et la Louisiane.

«Le théâtre représente une mer et des rochers d'un côté, et de l'autre quelques arbres et des maisons». Mise en scène d'Élisabeth Chailloux au Théâtre des Quartiers à Ivry, en 1996, avec Isaach de Bankolé et Catherine Mongodin.

L'Île des esclaves

Marivaux

Personnages

IPHICRATE.

ARLEQUIN.

EUPHROSINE.

CLÉANTHIS.

TRIVELIN.

Des habitants de l'île.

La scène est dans l'île des Esclaves. Le théâtre représente une mer et des rochers d'un côté, et de l'autre quelques arbres et des maisons.

scène 1

IPHICRATE *s'avance tristement
sur le théâtre avec* ARLEQUIN.

IPHICRATE, *après avoir soupiré.* – Arlequin ?

ARLEQUIN, *avec une bouteille de vin qu'il a à sa ceinture.* – Mon
patron.

IPHICRATE – Que deviendrons-nous dans cette île ?

5 ARLEQUIN – Nous deviendrons maigres, étiques[1], et puis morts
de faim : voilà mon sentiment[2] et notre histoire.

IPHICRATE – Nous sommes seuls échappés du naufrage ; tous
nos camarades ont péri, et j'envie maintenant leur sort.

ARLEQUIN – Hélas ! ils sont noyés dans la mer, et nous avons la
10 même commodité[3].

IPHICRATE – Dis-moi ; quand notre vaisseau s'est brisé contre le
rocher, quelques-uns des nôtres ont eu le temps de se jeter

passage analysé

noteſ

| 1. **étiques :** très maigres. | 2. **sentiment :** opinion, avis. | 3. **commodité :** possibilité.

27

dans la chaloupe[1] ; il est vrai que les vagues l'ont enveloppée, je ne sais ce qu'elle est devenue ; mais peut-être auront-ils eu le bonheur d'aborder en quelque endroit de l'île, et je suis d'avis que nous les cherchions.

ARLEQUIN – Cherchons, il n'y a pas de mal à cela ; mais reposons-nous auparavant pour boire un petit coup d'eau-de-vie : j'ai sauvé ma pauvre bouteille, la voilà ; j'en boirai les deux tiers, comme de raison[2], et puis je vous donnerai le reste.

IPHICRATE – Eh, ne perdons point de temps, suis-moi, ne négligeons rien pour nous tirer[3] d'ici ; si je ne me sauve, je suis perdu, je ne reverrai jamais Athènes, car nous sommes dans l'île des Esclaves.

ARLEQUIN – Oh, oh ! qu'est-ce que c'est que cette race-là ?

IPHICRATE – Ce sont des esclaves de la Grèce révoltés contre leurs maîtres, et qui depuis cent ans sont venus s'établir dans une île, et je crois que c'est ici : tiens, voici sans doute quelques-unes de leurs cases[4] ; et leur coutume, mon cher Arlequin, est de tuer tous les maîtres qu'ils rencontrent, ou de les jeter dans l'esclavage.

ARLEQUIN – Eh ! Chaque pays a sa coutume : ils tuent les maîtres, à la bonne heure[5], je l'ai entendu dire aussi ; mais on dit qu'ils ne font rien aux esclaves comme moi.

IPHICRATE – Cela est vrai.

ARLEQUIN – Eh ! encore vit-on[6].

IPHICRATE – Mais je suis en danger de perdre la liberté, et peut-être la vie ; Arlequin, cela ne suffit-il pas pour me plaindre ?

passage analysé

notes
....

1. **chaloupe** : barque de secours à rames.
2. **comme de raison** : parce que cela est raisonnable.
3. **nous tirer** : nous en aller.
4. **cases** : cabanes des habitants de l'île.

5. **à la bonne heure** : exclamation de surprise ou d'enthousiasme.
6. **encore vit-on** : au moins nous sommes vivants.

40   ARLEQUIN, *prenant sa bouteille pour boire.* – Ah ! Je vous plains de tout mon cœur, cela est juste.

IPHICRATE – Suis-moi donc ?

ARLEQUIN *siffle.* – Hu, hu, hu.

IPHICRATE – Comment donc, que veux-tu dire ?

45   ARLEQUIN *distrait chante.* – Tala ta lara.

IPHICRATE – Parle donc, as-tu perdu l'esprit, à quoi penses-tu ?

ARLEQUIN, *riant.* – Ah, ah, ah, monsieur Iphicrate, la drôle d'aventure ; je vous plains, par ma foi, mais je ne saurais m'empêcher d'en rire.

50   IPHICRATE, *à part les premiers mots.* – Le coquin abuse de ma situation, j'ai mal fait de lui dire où nous sommes. Arlequin, ta gaieté ne vient pas à propos[1], marchons de ce côté.

ARLEQUIN – J'ai les jambes si engourdies.

IPHICRATE – Avançons, je t'en prie.

55   ARLEQUIN – Je t'en prie, je t'en prie ; comme vous êtes civil[2] et poli ; c'est l'air du pays qui fait cela.

IPHICRATE – Allons, hâtons-nous, faisons seulement une demi-lieue[3] sur la côte pour chercher notre chaloupe, que nous trouverons peut-être avec une partie de nos gens ; et en ce cas-

60   là, nous nous rembarquerons avec eux.

ARLEQUIN, *en badinant*[4]. – Badin[5], comme vous tournez cela[6]. *(Il chante :)*

L'embarquement est divin,

Quand on vogue, vogue, vogue ;

65

L'embarquement est divin

Quand on vogue avec Catin[7].

---

notes

1. ne vient pas à propos : est déplacée.
2. civil : aimable.
3. lieue : environ quatre kilomètres.
4. en badinant : sur un ton léger.

5. Badin : qui aime rire.
6. comme vous tournez cela : comme vous dites cela !
7. Catin : diminutif de Catherine mais aussi terme populaire pour désigner une prostituée.

passage analysé

IPHICRATE, *retenant sa colère.* – Mais je ne te comprends point, mon cher Arlequin.

ARLEQUIN – Mon cher patron, vos compliments me charment ; vous avez coutume de m'en faire à coups de gourdin qui ne valent pas ceux-là, et le gourdin est dans la chaloupe.

IPHICRATE – Eh ne sais-tu pas que je t'aime ?

ARLEQUIN – Oui ; mais les marques de votre amitié tombent toujours sur mes épaules, et cela est mal placé. Ainsi tenez, pour ce qui est de nos gens, que le Ciel les bénisse ; s'ils sont morts, en voilà pour longtemps[1] ; s'ils sont en vie, cela se passera, et je m'en goberge[2].

IPHICRATE, *un peu ému.* – Mais j'ai besoin d'eux, moi.

ARLEQUIN, *indifféremment.* – Oh, cela se peut bien, chacun a ses affaires ; que je ne vous dérange pas.

IPHICRATE – Esclave insolent !

ARLEQUIN, *riant.* – Ah ah, vous parlez la langue d'Athènes, mauvais jargon[3] que je n'entends[4] plus.

IPHICRATE – Méconnais-tu ton maître, et n'es-tu plus mon esclave ?

ARLEQUIN, *se reculant d'un air sérieux.* – Je l'ai été, je le confesse à ta honte ; mais va, je te le pardonne : les hommes ne valent rien. Dans le pays d'Athènes j'étais ton esclave, tu me traitais comme un pauvre animal, et tu disais que cela était juste, parce que tu étais le plus fort : Eh bien, Iphicrate, tu vas trouver ici plus fort que toi ; on va te faire esclave à ton tour ; on te dira aussi que cela est juste, et nous verrons ce que tu penseras de cette justice-là, tu m'en diras ton sentiment[5], je t'attends là.

1. **en voilà pour longtemps** : c'est pour longtemps.
2. **goberge** : moque.
3. **jargon** : langue incompréhensible.
4. **entends** : comprends.
5. **sentiment** : opinion, avis.

Quand tu auras souffert, tu seras plus raisonnable, tu sauras
mieux ce qu'il est permis de faire souffrir aux autres. Tout en
irait mieux dans le monde, si ceux qui te ressemblent rece-
vaient la même leçon que toi. Adieu, mon ami, je vais trouver
mes camarades et tes maîtres.

Il s'éloigne.

IPHICRATE, *au désespoir, courant après lui l'épée à la main.* – Juste
Ciel! Peut-on être plus malheureux et plus outragé[1] que je le
suis? Misérable, tu ne mérites pas de vivre.

ARLEQUIN – Doucement; tes forces sont bien diminuées, car je
ne t'obéis plus, prends-y garde.

note
| **1. outragé:** blessé dans son honneur.

Une scène d'exposition

Lecture analytique de la scène 1, pp. 27 à 31

L'Île des esclaves est une petite pièce en un acte. Le spectateur devine que l'action sera resserrée et le titre, en évoquant un espace réduit, suggère déjà la concentration. L'exposition* sera à l'image de la pièce, brève et efficace. À une époque où le théâtre est un lieu mondain, la scène d'exposition est déterminante dans le succès d'une pièce. Il s'agit de donner les informations nécessaires à la compréhension de l'intrigue sans tomber dans le monologue* statique. Instruire et séduire sont sans doute les deux maîtres mots de l'exposition.

Marivaux choisit de mêler information et action. La scène 1 amorce déjà le renversement des rôles qu'ordonnera Trivelin dans la scène 2. Quant à l'exposition au sens strictement informatif, elle déborde de la scène 1. Les compagnons de voyage évoqués par Iphicrate n'apparaissent que dans la scène 2. Ce n'est qu'à ce stade que le spectateur aura fait la connaissance de tous les personnages de cette petite comédie.

Quelle intrigue ?

Lorsque le rideau se lève, le spectateur se demande quel va être le décor de la pièce. Au théâtre, on distingue l'espace scénique, le lieu de la représentation qui n'est fonction que du théâtre dans lequel la pièce est jouée, et le lieu fictif dans lequel se déroule l'intrigue. L'auteur prend en compte les contraintes scéniques* pour imaginer le décor de sa pièce. Le titre de certaines œuvres peut donner des indications aux spectateurs avant même le lever de rideau (*Iphigénie* de Racine annonce un décor antique, *Le Bourgeois gentilhomme* de Molière laisse entendre une maison de la haute bourgeoisie).

* *Cf.* Lexique.

De la même manière, on distingue le temps de la représentation et celui de l'intrigue. Dans le théâtre classique (XVIIe siècle), la règle de l'unité de temps impose que l'intrigue se concentre sur une seule journée. Le temps de la représentation, lui, est plus court encore ; mais l'illusion théâtrale conduit le spectateur à vivre au rythme de l'intrigue sans percevoir les nécessaires ellipses. Souvent le temps de l'intrigue s'inscrit dans une temporalité plus large et les personnages font allusion à des événements (fictifs ou historiques) antérieurs à la première scène.

.... **Situation de l'action dans l'espace** ....

❶ De quelles informations le spectateur dispose-t-il quant au lieu de l'intrigue lorsque le rideau se lève ?
❷ Relevez et classez les indications qui font de l'île un espace dangereux.

.... **Situation de l'action dans le temps** ....

❸ Dans quelle mesure l'apparition des deux personnages sur la scène soulève-t-elle une question quant à la situation temporelle de l'intrigue ? Comment cette question est-elle résolue ?
❹ Classez les événements évoqués par ordre chronologique.
❺ Quels sont les événements présentés comme hypothétiques ?

Quels personnages ?

La structure duelle est récurrente* au théâtre comme en témoigne le préfixe du mot *dialogue*. Dans les tragédies, les héros sont accompagnés de confidents et dans les comédies le couple maître-valet est un élément moteur de l'intrigue. Mais si le confident est un double terne du héros tragique, le valet est au contraire un personnage en relief ; son ingéniosité et son insolence sont source de comique et son nom peut figurer dans le titre comme dans *Les Fourberies de Scapin* de Molière.
On peut retrouver cette structure duelle dans la composition même des pièces ; certaines scènes se font écho et se compren-

* *Cf.* Lexique.

nent l'une par rapport à l'autre ; d'autres sont construites sur un axe de symétrie qui fonctionne comme un élément de renversement. Les relations élaborées dans une première partie se retournent et se construisent de manières tout à fait différentes. Il est fréquent que la comédie s'échafaude ainsi sur des structures mécaniques.

.... **Le couple maître-valet** ....

❻ Relevez les différents indices de la présence du couple maître-valet.

.... **Une scène construite sur un retournement** ....

❼ À quel moment de la scène les relations entre le maître et son valet se renversent-elles ?

❽ Quels éléments montrent que l'attitude d'Iphicrate est la même tout au long de la scène ? Quels éléments expriment pourtant un changement ?

❾ En quoi voit-on qu'Arlequin s'est affranchi de son maître au cours de la scène ?

Quelle exposition ?

L'exposition doit informer mais aussi séduire ; pour cela surprendre le spectateur est un bon moyen de capter d'emblée son attention. Ainsi la scène d'exposition peut étonner le public en présentant un décor et un contexte historique inhabituels pour un genre donné.

> *Que, dès les premiers vers, l'action préparée*
> *Sans peine du sujet aplanisse l'entrée.*

Boileau, dans son *Art poétique*, rappelle qu'une bonne exposition est agréable (« *sans peine* ») et rapide (« *dès les premiers vers* ») ; pour ne pas lasser le spectateur, le dramaturge* doit débuter l'action au plus vite et éviter toute forme d'information statique.

* *Cf.* Lexique.

La séduction du registre comique repose souvent sur l'emploi plus ou moins subtil des contrastes et décalages; l'esthétique de la différence et de la surprise est le ressort majeur de la comédie; ces ruptures devenues conventionnelles constituent pour l'auteur toute une palette qui lui permet d'exprimer l'enjeu original de sa pièce.

.... **La surprise du cadre spatio-temporel** ....

🔟 En quoi le spectateur peut-il être surpris et séduit par le décor et la situation temporelle de l'intrigue ?

.... **La brièveté de l'exposition** ....

⓫ Faites la part, dans la scène, des éléments qui appartiennent à l'exposition et de ceux qui constituent déjà un élément d'action.

.... **Le jeu des décalages** ....

⓬ Analysez le décalage entre les deux personnages.
⓭ Montrez qu'il existe un décalage entre le registre* de la scène et la situation exposée.
⓮ Dans quelle mesure ce jeu des décalages contribue à exprimer l'enjeu de la pièce ?

* Cf. Lexique.

Ariane Mnouchkine rend les spectateurs actifs dans ses mises en scène, comme ici dans *L'Âge d'or* en 1975 au Théâtre du Soleil.

Les enjeux de l'exposition
Lectures croisées et travaux d'écriture

Au XVIIIe siècle, comme au XVIIe siècle, le théâtre est un lieu mondain avant tout. On y vient certes pour découvrir la dernière pièce à la mode et alimenter ainsi les conversations des salons, mais l'on s'y rend aussi pour s'y montrer et pour y faire des rencontres. Edmond Rostand qui, dans son *Cyrano de Bergerac*, met en scène un écrivain du XVIIe siècle, évoque au début de sa pièce cette atmosphère particulière des théâtres de l'Ancien Régime. On s'aperçoit par exemple que les spectateurs ne savent pas nécessairement quelle pièce va être jouée. Les conditions matérielles de la représentation sont très différentes de celles que nous connaissons aujourd'hui et les auteurs doivent employer tout leur talent à séduire des spectateurs parfois peu concernés. La tâche semble d'autant plus ardue que la salle reste éclairée pendant toute la durée du spectacle. C'est en considérant ce contexte matériel particulier qu'il faut lire les scènes d'exposition des œuvres des XVIIe et XVIIIe siècles. Mais si les conditions ont changé, l'enjeu des ouvertures est resté le même et, aujourd'hui comme autrefois, il s'agit toujours d'informer et de séduire.

Molière, *Tartuffe*

Tartuffe ou l'Imposteur a été interdit dès sa première représentation en 1664 : Molière n'avait pas hésité à s'en prendre aux dévots, ces personnes proches du roi qui prêchaient une religion stricte qu'ils ne pratiquaient pas nécessairement eux-mêmes. Tartuffe s'est installé chez Orgon, le fils de Madame Pernelle, et la morale qu'il prêche est très appréciée par son hôte et par sa mère. On découvrira par la suite que Tartuffe tente en fait de séduire Elmire, la femme d'Orgon.

Scène 1
MADAME PERNELLE, ELMIRE, MARIANE, CLÉANTE, DAMIS, DORINE, FLIPOTE

MADAME PERNELLE
Vous êtes, ma mie[1], une fille suivante.
Un peu trop forte en gueule, et fort impertinente ;
Vous vous mêlez sur tout de dire votre avis.

DAMIS
Mais…

MADAME PERNELLE
Vous êtes un sot, en trois lettres, mon fils ;
C'est moi qui vous le dis, qui suis votre grand-mère ;
Et j'ai prédit cent fois à mon fils, votre père,
Que vous preniez tout l'air d'un méchant garnement,
Et ne lui donneriez jamais que du tourment.

MARIANE
Je crois…

MADAME PERNELLE
Mon Dieu ! sa sœur, vous faites la discrète,
Et vous n'y touchez pas[2], tant vous semblez doucette !
Mais il n'est, comme on dit, pire eau que l'eau qui dort,
Et vous menez, sous chape, un train que je hais fort.

ELMIRE
Mais, ma mère…

MADAME PERNELLE
Ma bru, qu'il ne vous en déplaise,
Votre conduite en tout est tout à fait mauvaise ;
Vous devriez leur mettre un bon exemple aux yeux,
Et leur défunte mère en usait beaucoup mieux.
Vous êtes dépensière ; et cet état me blesse,
Que vous alliez vêtue ainsi qu'une princesse.
Quiconque à son mari veut plaire seulement,
Ma bru, n'a pas besoin de tant d'ajustement.

CLÉANTE
Mais, madame, après tout…

MADAME PERNELLE
Pour vous, monsieur son frère,
Je vous estime fort, vous aime et vous révère :
Mais, enfin, si j'étais de mon fils, son époux,
Je vous prierais bien fort de n'entrer point chez nous.
Sans cesse vous prêchez des maximes de vivre[3]

Qui par d'honnêtes gens ne se doivent point suivre.

Je vous parle un peu franc; mais c'est là mon humeur,

Et je ne mâche point ce que j'ai sur le cœur.

Molière, Tartuffe, acte I, scène 1, 1664.

1. ma mie: mon amie. **2. vous n'y touchez pas**: vous n'êtes pas impliqué. **3. maximes de vivre**: préceptes moraux.

Beaumarchais, *Le Mariage de Figaro*

Comme le Tartuffe *de Molière,* Le Mariage de Figaro *a été interdit en 1781. Il ne sera représenté qu'en 1784. Dans cette comédie, Beaumarchais n'hésite pas à s'en prendre aux privilèges de l'aristocratie.*

Le théâtre représente une chambre à demi démeublée; un grand fauteuil de malade est au milieu. Figaro, avec une toise[1], mesure le plancher. Suzanne attache à sa tête, devant une glace, le petit bouquet de fleurs d'orange, appelé chapeau de la mariée.

Scène 1

Figaro, Suzanne

Figaro – Dix-neuf pieds sur vingt-six.

Suzanne – Tiens, Figaro, voilà mon petit chapeau; le trouves-tu mieux ainsi?

Figaro, *lui prend les mains.* – Sans comparaison, ma charmante. Oh! que ce joli bouquet virginal[2], élevé sur la tête d'une belle fille, est doux, le matin des noces, à l'œil amoureux d'un époux!…

Suzanne *se retire.* – Que mesures-tu donc là, mon fils?

Figaro – Je regarde, ma petite Suzanne, si ce beau lit que Monseigneur nous donne aura grâce ici.

Suzanne – Dans cette chambre?

Figaro – Il nous la cède.

Suzanne – Et moi, je n'en veux point.

Figaro – Pourquoi?

Suzanne – Je n'en veux point.

Figaro – Mais encore?

Suzanne – Elle me déplaît.

Figaro – On dit une raison.

SUZANNE – Si je n'en veux pas dire ?

FIGARO – Oh ! quand elles sont sûres de nous !

SUZANNE – Prouver que j'ai raison serait accorder que je puis avoir tort. Es-tu mon serviteur, ou non ?

FIGARO – Tu prends de l'humeur contre la chambre du château la plus commode, et qui tient le milieu des deux appartements. La nuit, si Madame est incommodée, elle sonnera de son côté ; zeste, en deux pas tu es chez elle. Monseigneur veut-il quelque chose ? il n'a qu'à tinter du sien ; crac, en trois sauts me voilà rendu.

SUZANNE – Fort bien ! Mais comme il aura *tinté* le matin, pour te donner quelque bonne et longue commission, zeste, en deux pas, il est à ma porte, et crac, en trois sauts…

FIGARO – Qu'entendez-vous par ces paroles ?

SUZANNE – Il faudrait m'écouter tranquillement.

FIGARO – Eh, qu'est-ce qu'il y a ? bon Dieu !

SUZANNE – Il y a, mon ami, que, las de courtiser les beautés des environs, monsieur le comte Almaviva veut rentrer au château, mais non pas chez sa femme ; c'est sur la tienne, entends-tu, qu'il a jeté ses vues, auxquelles il espère que ce logement ne nuira pas. Et c'est ce que le loyal Bazile, honnête agent de ses plaisirs, et mon noble maître à chanter, me répète chaque jour, en me donnant la leçon.

Beaumarchais, *Le Mariage de Figaro*, acte I, scène 1, 1781.

1. toise : instrument de mesure. **2. bouquet virginal** : bouquet de la mariée qui évoque la pureté des jeunes filles.

Montesquieu, *Lettres persanes*

Dans ses Lettres persanes, *Montesquieu présente la société française et parisienne avec les yeux d'un Persan venu découvrir l'Occident. La lettre XXVIII évoque les conditions d'une représentation théâtrale au XVIIIᵉ siècle.*

Rica à ***

Je vis hier une chose assez singulière, quoiqu'elle se passe tous les jours à Paris.

Tout le peuple s'assemble sur la fin de l'après-dîner, et va jouer une espèce de scène que j'ai entendu appeler comédie. Le grand mouvement est sur une estrade, qu'on nomme le théâtre. Aux deux côtés, on voit, dans de petits réduits qu'on nomme loges, des hommes et des femmes qui jouent ensemble des scènes muettes, à peu près comme celles qui sont en usage en notre Perse.

Tantôt c'est une amante affligée qui exprime sa langueur; tantôt une autre, avec des yeux vifs et un air passionné, dévore des yeux son amant, qui la regarde de même; toutes les passions sont peintes sur les visages, et exprimées avec une éloquence qui n'en est que plus vive pour être muette. Là, les acteurs ne paraissent qu'à demi-corps, et ont ordinairement un manchon[1], par modestie, pour cacher leurs bras. Il y a en bas une troupe de gens debout qui se moquent de ceux qui sont en haut sur le théâtre et ces derniers rient à leur tour de ceux qui sont en bas.

Montesquieu, Lettre XXVIII, *Lettres persanes*, 1721.

1. manchon: sorte de vêtement cylindrique dans lequel on peut glisser ses deux avant-bras.

Corpus

Texte A: Scène 1 de *L'Île des esclaves*, de Marivaux (pp. 27 à 31).
Texte B: Extrait de la scène 1 de l'acte I du *Tartuffe* de Molière (pp. 37 à 39).
Texte C: Extrait de la scène 1 de l'acte I du *Mariage de Figaro* de Beaumarchais (pp. 39-40).
Texte D: Extrait de la lettre XXVIII des *Lettres persanes* de Montesquieu (pp. 40-41).

Examen des textes

❶ Quels sont, dans le texte B, les différents reproches adressés par Madame Pernelle aux personnages?

❷ Montrez l'importance des liens familiaux dans le texte B.

❸ De quelle manière le décor exprime-t-il le problème de la pièce dans le texte C?

❹ En quoi l'enchaînement des répliques assure-t-il le dynamisme de l'exposition* dans le texte C?

❺ Comment Montesquieu s'y prend-il, dans le texte D, pour réduire le théâtre à un lieu mondain?

* *Cf.* Lexique.

Travaux d'écriture

Question préliminaire

Comment ces trois scènes d'exposition* parviennent-elles à informer et à séduire le spectateur ?

Commentaire

Vous ferez le commentaire de l'extrait de la première scène du *Tartuffe*.

Dissertation

Dans la « lettre persane » de Montesquieu, Rica s'étonne devant cette « *chose assez singulière* » qu'est le théâtre ; en vous appuyant sur les textes du corpus et sur vos connaissances personnelles, vous vous demanderez à votre tour pourquoi nous allons au théâtre.

Écriture d'invention

Composez la scène d'exposition d'une comédie qui, à la manière de Marivaux dans *L'Île des esclaves*, fondera son intrigue sur l'inversion des statuts à l'intérieur d'une famille.

* *Cf.* Lexique.

scène 2

TRIVELIN *avec cinq ou six insulaires[1] arrive conduisant une Dame et la suivante, et ils accourent à* IPHICRATE *qu'ils voient l'épée à la main.*

TRIVELIN, *faisant saisir et désarmer Iphicrate par ses gens.* – Arrêtez, que voulez-vous faire ?

IPHICRATE – Punir l'insolence de mon esclave.

TRIVELIN – Votre esclave ? vous vous trompez, et l'on vous
5   apprendra à corriger vos termes[2]. *(Il prend l'épée d'Iphicrate et la donne à Arlequin.)* Prenez cette épée, mon camarade, elle est à vous.

ARLEQUIN – Que le Ciel vous tienne gaillard[3], brave camarade que vous êtes.

10   TRIVELIN – Comment vous appelez-vous ?

notes
....

1. **insulaires :** habitants de l'île.
2. **termes :** paroles.

3. **gaillard :** en pleine forme, de bonne humeur.

43

ARLEQUIN – Est-ce mon nom que vous demandez ?

TRIVELIN – Oui vraiment.

ARLEQUIN – Je n'en ai point, mon camarade.

TRIVELIN – Quoi donc, vous n'en avez pas ?

15 ARLEQUIN – Non, mon camarade, je n'ai que des sobriquets[1] qu'il m'a donnés ; il m'appelle quelquefois Arlequin, quelquefois Hé.

TRIVELIN – Hé, le terme est sans façon[2] ; je reconnais ces messieurs à de pareilles licences[3] ; et lui comment s'appelle-t-il ?

20 ARLEQUIN – Oh diantre, il s'appelle par un nom lui ; c'est le seigneur Iphicrate.

TRIVELIN – Eh bien, changez de nom à présent ; soyez le seigneur Iphicrate à votre tour ; et vous, Iphicrate, appelez-vous Arlequin, ou bien Hé.

25 ARLEQUIN, *sautant de joie, à son maître.* – Oh, oh, que nous allons rire ! seigneur Hé.

TRIVELIN, *à Arlequin.* Souvenez-vous en prenant son nom, mon cher ami, qu'on vous le donne bien moins pour réjouir votre vanité, que pour le corriger de son orgueil.

30 ARLEQUIN – Oui, oui, corrigeons, corrigeons.

IPHICRATE, *regardant Arlequin.* – Maraud[4] !

ARLEQUIN – Parlez donc, mon bon ami, voilà encore une licence qui lui prend ; cela est-il du jeu[5] ?

TRIVELIN, *à Arlequin.* – Dans ce moment-ci, il peut vous dire
35 tout ce qu'il voudra. *(À Iphicrate.)* Arlequin, votre aventure vous afflige[6], et vous êtes outré contre Iphicrate et contre

---

notes ....

1. **sobriquets** : surnoms moqueurs.
2. **sans façon** : sans prétention.
3. **licences** : manquements aux règles.

4. **Maraud** : vaurien.
5. **du jeu** : conforme à la règle.
6. **afflige** : fait souffrir.

44

nous. Ne vous gênez point, soulagez-vous par l'emportement le plus vif; traitez-le de misérable et nous aussi, tout vous est permis à présent: mais ce moment-ci passé, n'oubliez pas que vous êtes Arlequin, que voici Iphicrate, et que vous êtes auprès de lui ce qu'il était auprès de vous: ce sont là nos lois, et ma charge dans la République est de les faire observer en ce canton-ci[1].

ARLEQUIN – Ah, la belle charge[2]!

IPHICRATE – Moi, l'esclave de ce misérable!

TRIVELIN – Il a bien été le vôtre.

ARLEQUIN – Hélas! il n'a qu'à être bien obéissant, j'aurai mille bontés pour lui.

IPHICRATE – Vous me donnez la liberté de lui dire ce qu'il me plaira, ce n'est pas assez; qu'on m'accorde encore un bâton.

ARLEQUIN – Camarade, il demande à parler à mon dos, et je le mets sous la protection de la République, au moins.

TRIVELIN – Ne craignez rien.

CLÉANTHIS, *à Trivelin.* – Monsieur, je suis esclave aussi, moi, et du même vaisseau; ne m'oubliez pas, s'il vous plaît.

TRIVELIN – Non, ma belle enfant; j'ai bien connu[3] votre condition[4] à votre habit, et j'allais vous parler de ce qui vous regarde, quand je l'ai vu l'épée à la main: laissez-moi achever ce que j'avais à dire. Arlequin?

ARLEQUIN, *croyant qu'on l'appelle.* – Eh… À propos, je m'appelle Iphicrate.

TRIVELIN, *continuant.* – Tâchez de vous calmer, vous savez qui nous sommes, sans doute.

notes
....

| 1. **en ce canton-ci**: en ce lieu. | 3. **connu**: reconnu. |
| 2. **charge**: rôle public, fonction, profession. | 4. **condition**: condition sociale. |

ARLEQUIN – Oh morbleu, d'aimables gens.

65 CLÉANTHIS – Et raisonnables.

TRIVELIN – Ne m'interrompez point, mes enfants. Je pense donc que vous savez qui nous sommes. Quand nos pères[1] irrités de la cruauté de leurs maîtres quittèrent la Grèce et vinrent s'établir ici, dans le ressentiment[2] des outrages[3] qu'ils avaient
70 reçus de leurs patrons, la première loi qu'ils y firent, fut d'ôter la vie à tous les maîtres que le hasard ou le naufrage conduirait dans leur île, et conséquemment[4] de rendre la liberté à tous les esclaves : la vengeance avait dicté cette loi ; vingt ans après la raison l'abolit, et en dicta une plus douce. Nous ne nous
75 vengeons plus de vous, nous vous corrigeons ; ce n'est plus votre vie que nous poursuivons, c'est la barbarie de vos cœurs que nous voulons détruire ; nous vous jetons dans l'esclavage, pour vous rendre sensibles aux maux qu'on y éprouve ; nous vous humilions, afin que nous trouvant superbes[5], vous vous
80 reprochiez de l'avoir été. Votre esclavage, ou plutôt votre cours d'humanité dure trois ans, au bout desquels on vous renvoie, si vos maîtres sont contents de vos progrès : et si vous ne devenez pas meilleurs, nous vous retenons par charité pour les nouveaux malheureux que vous iriez faire encore ailleurs ; et par
85 bonté pour vous, nous vous marions avec une de nos citoyennes. Ce sont là nos lois à cet égard, mettez à profit leur rigueur salutaire[6]. Remerciez le sort qui vous conduit ici ; il vous remet en nos mains, durs, injustes et superbes. Vous voilà en mauvais état, nous entreprenons de vous guérir ; vous êtes
90 moins nos esclaves que nos malades, et nous ne prenons que trois ans pour vous rendre sains, c'est-à-dire humains, raisonnables, et généreux pour toute votre vie.

notes

1. **pères :** ancêtres.
2. **ressentiment :** rancune.
3. **outrages :** mauvais traitements et insultes.
4. **conséquemment :** par conséquent.
5. **superbes :** orgueilleux.
6. **salutaire :** bénéfique.

ARLEQUIN – Et le tout *gratis*[1], sans purgation[2] ni saignée[3]. Peut-on de la santé[4] à meilleur compte ?

95 TRIVELIN – Au reste, ne cherchez point à vous sauver de ces lieux, vous le tenteriez sans succès, et vous feriez votre fortune[5] plus mauvaise : commencez votre nouveau régime de vie par la patience.

ARLEQUIN – Dès que c'est pour son bien, qu'y a-t-il à dire ?

100 TRIVELIN, *aux esclaves.* – Quant à vous, mes enfants, qui devenez libres et citoyens, Iphicrate habitera cette case avec le nouvel Arlequin, et cette belle fille demeurera dans l'autre : vous aurez soin de changer d'habit ensemble ; c'est l'ordre. *(À Arlequin.)* Passez maintenant dans une maison qui est à côté, où l'on 105 vous donnera à manger, si vous en avez besoin. Je vous apprends au reste, que vous avez huit jours à vous réjouir du changement de votre état ; après quoi l'on vous donnera, comme à tout le monde, une occupation convenable. Allez, je vous attends ici. *(Aux insulaires.)* Qu'on les conduise. *(Aux* 110 *femmes.)* Et vous autres, restez.

Arlequin en s'en allant fait de grandes révérences à Cléanthis.

1. *gratis* : gratuitement.
2. purgation : nettoyage de l'intestin.
3. saignée : pratique médicale ancienne qui consiste à faire saigner pour purifier le sang.

4. Peut-on de la santé : peut-on prétendre à la santé.
5. fortune : sort, destin.

scène 3

TRIVELIN, CLÉANTHIS *esclave,*
EUPHROSINE *sa maîtresse*

TRIVELIN – Ah ça, ma compatriote ; car je regarde désormais notre île comme votre patrie ; dites-moi aussi votre nom ?

CLÉANTHIS, *saluant.* – Je m'appelle Cléanthis, et elle Euphrosine.

5 TRIVELIN – Cléanthis ; passe pour cela[1].

CLÉANTHIS – J'ai aussi des surnoms ; vous plaît-il de les savoir ?

TRIVELIN – Oui-da[2]. Et quels sont-ils ?

CLÉANTHIS – J'en ai une liste : Sotte, Ridicule, Bête, Butorde,
10 Imbécile, *et cætera.*

EUPHROSINE, *en soupirant.* – Impertinente que vous êtes !

CLÉANTHIS – Tenez, tenez, en voilà encore un que j'oubliais.

notes
─────────────────────────────────

| **1. passe pour cela** : c'est acceptable. | **2. Oui-da** : oui, certainement. |

TRIVELIN – Effectivement, elle vous prend sur le fait. Dans votre pays, Euphrosine, on a bientôt[1] dit des injures à ceux à qui l'on en peut dire impunément[2].

EUPHROSINE – Hélas! que voulez-vous que je lui réponde, dans l'étrange[3] aventure où je me trouve?

CLÉANTHIS – Oh dame, il n'est plus si aisé de me répondre. Autrefois il n'y avait rien de si commode; on n'avait affaire qu'à de pauvres gens: fallait-il tant de cérémonies? Faites cela, je le veux; taisez-vous, sotte: voilà qui était fini. Mais à présent il faut parler raison[4]: c'est un langage étranger pour Madame, elle l'apprendra avec le temps; il faut se donner patience: je ferai de mon mieux pour l'avancer[5].

TRIVELIN, à *Cléanthis*. – Modérez-vous, Euphrosine. *(À Euphrosine.)* Et vous, Cléanthis, ne vous abandonnez point à votre douleur. Je ne puis changer nos lois, ni vous en affranchir: je vous ai montré combien elles étaient louables et salutaires pour vous.

CLÉANTHIS – Hum. Elle me trompera[6] bien si elle amende[7].

TRIVELIN – Mais comme vous êtes d'un sexe naturellement assez faible, et que par là vous avez dû céder plus facilement qu'un homme aux exemples de hauteur, de mépris et de dureté qu'on vous a donnés chez vous contre leurs pareils; tout ce que je puis faire pour vous, c'est de prier Euphrosine de peser[8] avec bonté les torts que vous avez avec elle, afin de les peser avec justice.

CLÉANTHIS – Oh tenez, tout cela est trop savant pour moi, je n'y comprends rien; j'irai le grand chemin[9], je pèserai comme elle pesait; ce qui viendra, nous le prendrons.

notes

1. **bientôt**: vite.
2. **impunément**: sans être puni.
3. **étrange**: scandaleuse.
4. **parler raison**: tenir des propos raisonnables.
5. **pour l'avancer**: pour qu'elle progresse.
6. **trompera**: m'étonnera.
7. **amende**: s'amende, reconnaît ses erreurs.
8. **peser**: considérer, juger.
9. **j'irai le grand chemin**: je ne me compliquerai pas l'existence, je ferai au plus simple.

40   TRIVELIN – Doucement, point de vengeance.

CLÉANTHIS – Mais, notre bon ami, au bout du compte, vous parlez de son sexe ; elle a le défaut d'être faible, je lui en offre autant ; je n'ai pas la vertu[1] d'être forte. S'il faut que j'excuse toutes ses mauvaises manières à mon égard, il faudra donc

45   qu'elle excuse aussi la rancune que j'en ai contre elle ; car je suis femme autant qu'elle, moi : voyons qui est-ce qui décidera. Ne suis-je pas la maîtresse, une fois[2] ? Eh bien, qu'elle commence toujours par excuser ma rancune ; et puis, moi, je lui pardonnerai quand je pourrai ce qu'elle m'a fait : qu'elle attende.

50   EUPHROSINE, *à Trivelin*. – Quels discours ! Faut-il que vous m'exposiez à les entendre !

CLÉANTHIS – Souffrez[3]-les, Madame ; c'est le fruit de vos œuvres[4].

TRIVELIN – Allons, Euphrosine, modérez-vous.

55   CLÉANTHIS – Que voulez-vous que je vous dise : quand on a de la colère, il n'y a rien de tel pour la passer, que de la contenter un peu, voyez-vous ; quand je l'aurai querellée à mon aise une douzaine de fois seulement, elle en sera quitte[5] ; mais il me faut cela.

TRIVELIN, *à part à Euphrosine*. – Il faut que ceci ait son cours[6] ;

60   mais consolez-vous, cela finira plus tôt que vous ne pensez. *(À Cléanthis.)* J'espère, Euphrosine, que vous perdrez votre ressentiment[7], et je vous y exhorte[8] en ami. Venons maintenant à l'examen de son caractère : il est nécessaire que vous m'en donniez un portrait qui se doit faire devant la personne qu'on

65   peint, afin qu'elle se connaisse, qu'elle rougisse de ses ridicules, si elle en a, et qu'elle se corrige. Nous avons là de bonnes intentions, comme vous voyez. Allons commençons.

notes
....

1. vertu : qualité.
2. une fois : une bonne fois pour toute.
3. Souffrez : supportez.
4. vos œuvres : vos actions.

5. quitte : libérée de ses dettes.
6. ait son cours : se déroule ainsi.
7. ressentiment : rancune.
8. exhorte : invite.

CLÉANTHIS – Oh que cela est bien inventé! Allons, me voilà prête; interrogez-moi, je suis dans mon fort[1].

70 EUPHROSINE, *doucement*. – Je vous prie, Monsieur, que je me retire, et que je n'entende point ce qu'elle va dire.

TRIVELIN – Hélas! ma chère dame, cela n'est fait que pour vous; il faut que vous soyez présente.

CLÉANTHIS – Restez, restez, un peu de honte est bientôt passé.

75 TRIVELIN – Vaine[2], minaudière[3] et coquette, voilà d'abord à peu près sur quoi je vais vous interroger au hasard. Cela la regarde-t-il[4]?

CLÉANTHIS – Vaine, minaudière et coquette, si cela la regarde? Eh voilà ma chère maîtresse! cela lui ressemble comme son visage.

80 EUPHROSINE – N'en voilà-t-il pas assez, Monsieur?

TRIVELIN – Ah, je vous félicite du petit embarras que cela vous donne; vous sentez[5], c'est bon signe, et j'en augure bien pour l'avenir: mais ce ne sont encore là que les grands traits; détaillons un peu cela. En quoi donc, par exemple, lui trou-
85 vez-vous les défauts dont nous parlons?

CLÉANTHIS – En quoi? partout, à toute heure, en tous lieux; je vous ai dit de m'interroger; mais par où commencer, je n'en sais rien, je m'y perds; il y a tant de choses, j'en ai tant vu, tant remarqué de toutes les espèces, que cela me brouille[6].
90 Madame se tait, Madame parle; elle regarde, elle est triste, elle est gaie: silence, discours, regards, tristesse, et joie: c'est tout un, il n'y a que la couleur de différente; c'est vanité muette, contente ou fâchée; c'est coquetterie babillarde[7], jalouse ou curieuse; c'est Madame, toujours vaine ou coquette l'un après

passage analysé

notes

1. **mon fort**: domaine où je suis à l'aise.
2. **Vaine**: vaniteuse.
3. **minaudière**: qui fait des manières, poseuse.
4. **Cela la regarde-t-il?**: Cela lui ressemble-t-il?
5. **sentez**: éprouvez des sentiments.
6. **me brouille**: m'embrouille.
7. **babillarde**: qui tient des discours futiles.

95　l'autre, ou tous les deux à la fois : voilà ce que c'est, voilà par
où je débute, rien que cela.

EUPHROSINE – Je n'y saurais tenir[1].

TRIVELIN – Attendez donc, ce n'est qu'un début.

CLÉANTHIS – Madame se lève, a-t-elle bien dormi, le sommeil
100　l'a-t-il rendue belle, se sent-elle du vif, du sémillant[2] dans les
yeux ? vite sur les armes[3], la journée sera glorieuse : qu'on
m'habille ; Madame verra du monde aujourd'hui ; elle ira aux
spectacles, aux promenades, aux assemblées[4] ; son visage peut
se manifester[5], peut soutenir[6] le grand jour, il fera plaisir à voir,
105　il n'y a qu'à le promener hardiment, il est en état[7], il n'y a rien
à craindre.

TRIVELIN, *à Euphrosine.* Elle développe assez bien cela.

CLÉANTHIS – Madame, au contraire, a-t-elle mal reposé[8] : Ah !
qu'on m'apporte un miroir ? comme me voilà faite ! que je
110　suis mal bâtie[9] ! Cependant on se mire[10], on éprouve son
visage de toutes les façons, rien ne réussit ; des yeux battus, un
teint fatigué ; voilà qui est fini, il faut envelopper ce visage-là,
nous n'aurons que du négligé[11], Madame ne verra personne
aujourd'hui, pas même le jour, si elle peut, du moins fera-t-il
115　sombre dans la chambre[12]. Cependant il vient compagnie[13], on
entre : que va-t-on penser du visage de Madame ? On croira
qu'elle enlaidit : donnera-t-elle ce plaisir-là à ses bonnes
amies ? non, il y a remède à tout : vous allez voir. Comment
·vous portez-vous, Madame ? Très mal, Madame : j'ai perdu le
120　sommeil ; il y a huit jours que je n'ai fermé l'œil ; je n'ose pas

passage analysé

notes

1. **Je n'y saurais tenir :** je ne saurais le
supporter.
2. **sémillant :** pétillant.
3. **sur les armes :** aux armes.
4. **assemblées :** réunions mondaines.
5. **se manifester :** se montrer.
6. **soutenir :** supporter.
7. **en état :** en état d'être présenté.

8. **a-t-elle mal reposé :** s'est-elle mal
reposée.
9. **je suis mal bâtie :** j'ai mauvaise mine.
10. **se mire :** se regarde dans un miroir.
11. **négligé :** sans artifice.
12. **chambre :** pièce privée, pas
nécessairement une chambre à coucher.
13. **compagnie :** des visiteurs.

me montrer, je fais peur. Et cela veut dire : Messieurs, figurez-vous que ce n'est point moi, au moins ; ne me regardez pas ; remettez à me voir[1] ; ne me jugez pas aujourd'hui ; attendez que j'ai dormi. J'entendais[2] tout cela, moi ; car nous autres
125 esclaves, nous sommes doués contre nos maîtres d'une pénétration[3]… Oh ! ce sont de pauvres gens pour nous.

TRIVELIN, *à Euphrosine*. – Courage, Madame ; profitez de cette peinture-là, car elle me paraît fidèle.

EUPHROSINE – Je ne sais où j'en suis.

130 CLÉANTHIS – Vous en êtes aux deux tiers, et j'achèverai, pourvu que cela ne vous ennuie pas.

TRIVELIN – Achevez, achevez ; Madame soutiendra[4] bien le reste.

CLÉANTHIS – Vous souvenez-vous d'un soir où vous étiez avec ce cavalier si bien fait[5] ? J'étais dans la chambre : vous vous
135 entreteniez bas[6] ; mais j'ai l'oreille fine : vous vouliez lui plaire sans faire semblant de rien ; vous parliez d'une femme qu'il voyait souvent. Cette femme-là est aimable[7], disiez-vous ; elle a les yeux petits, mais très doux : et là-dessus vous ouvriez les vôtres, vous vous donniez des tons, des gestes de tête, de
140 petites contorsions, des vivacités. Je riais. Vous réussîtes pourtant, le cavalier s'y prit[8] ; il vous offrit son cœur. À moi ? lui dites-vous. Oui, Madame, à vous-même ; à tout ce qu'il y a de plus aimable au monde. Continuez folâtre[9], continuez, dites-vous, en ôtant vos gants sous prétexte de m'en demander
145 d'autres : mais vous avez la main belle, il la vit, il la prit, il la baisa, cela anima sa déclaration ; et c'était là les gants que vous demandiez. Eh bien, y suis-je ?

---

notes

1. **remettez à me voir** : remettez à plus tard votre visite.
2. **J'entendais** : je comprenais.
3. **pénétration** : capacité à analyser finement le comportement des autres.
4. **soutiendra** : sera capable de supporter.

5. **bien fait** : beau.
6. **bas** : à voix basse.
7. **aimable** : digne d'être aimée.
8. **s'y prit** : s'y laissa prendre.
9. **folâtre** : fou.

TRIVELIN, *à Euphrosine.* – En vérité, elle a raison.

CLÉANTHIS – Écoutez, écoutez, voici le plus plaisant. Un jour
150 qu'elle pouvait m'entendre, et qu'elle croyait que je ne m'en
doutais pas, je parlais d'elle, et je dis : Oh pour cela, il faut
l'avouer, Madame est une des plus belles femmes du monde.
Que de bontés pendant huit jours, ce petit mot-là ne me
valut-il pas ? J'essayai en pareille occasion de dire que Madame
155 était une femme très raisonnable : oh je n'eus rien, cela ne prit
point ; et c'était bien fait, car je la flattais.

EUPHROSINE – Monsieur, je ne resterai point, ou l'on me fera
rester par force ; je ne puis en souffrir[1] davantage.

TRIVELIN – En voilà donc assez pour à présent.

160 CLÉANTHIS – J'allais parler des vapeurs de mignardise[2] auxquelles Madame est sujette à la moindre odeur. Elle ne sait pas
qu'un jour, je mis à son insu des fleurs dans la ruelle[3] de son lit
pour voir ce qu'il en serait. J'attendais une vapeur, elle est
encore à venir. Le lendemain en compagnie[4] une rose parut,
165 crac, la vapeur arrive.

TRIVELIN – Cela suffit, Euphrosine, promenez-vous un moment
à quelques pas de nous, parce que j'ai quelque chose à lui
dire ; elle ira vous rejoindre ensuite.

CLÉANTHIS, *s'en allant.* – Recommandez-lui d'être docile, au
170 moins. Adieu, notre bon ami, je vous ai diverti, j'en suis bien
aise ; une autre fois je vous dirai comme quoi Madame s'abs-
tient souvent de mettre de beaux habits, pour en mettre un
négligé qui lui marque tendrement la taille. C'est encore une
finesse[5] que cet habit-là ; on dirait qu'une femme qui le met
175 ne se soucie pas de paraître : mais à d'autres ; on s'y ramasse[6]

---

notes

1. souffrir : supporter.
2. vapeurs de mignardise : malaises qui traduisent des manières affectées et prétentieuses.
3. ruelle : espace qui sépare le lit du mur.
4. en compagnie : en société.
5. finesse : ruse.
6. ramasse : serre.

dans un corset[1] appétissant, on y montre sa bonne façon[2] naturelle ; on y dit aux gens : Regardez mes grâces, elles sont à moi celles-là ; et d'un autre côté on veut leur dire aussi : Voyez comme je m'habille, quelle simplicité, il n'y a point de coquetterie dans mon fait.

TRIVELIN – Mais je vous ai prié de nous laisser.

CLÉANTHIS – Je sors, et tantôt nous reprendrons le discours qui sera fort divertissant ; car vous verrez aussi comme quoi[3] Madame entre dans une loge au spectacle, avec quelle emphase[4], avec quel air imposant, quoique d'un air distrait et sans y penser ; car c'est la belle éducation qui donne cet orgueil-là. Vous verrez comme dans la loge on y jette un regard indifférent et dédaigneux sur des femmes qui sont à côté, et qu'on ne connaît pas[5]. Bonjour[6], notre bon ami, je vais à notre auberge.

notes

1. **corset** : sous-vêtement qui, étroitement lacé, donne l'impression que les femmes ont la taille plus fine.
2. **bonne façon** : beauté.
3. **comme quoi** : de quelle façon.
4. **emphase** : ici, attitude expressive.
5. **ne connaît pas** : ne veut pas connaître.
6. **Bonjour** : façon de dire au revoir.

55

« Vaine, minaudière et coquette »

**Lecture analytique d'un extrait de la scène 3,
p. 51, ligne 75 à p. 53, ligne 128**

À la fin de la scène 2, le spectateur a fait la connaissance de l'ensemble des personnages de cette comédie en un acte. Trivelin est apparu comme un représentant de l'île des esclaves ; il symbolise l'ensemble de la population et des institutions ; il est chargé de faire appliquer les lois propres à la « république » : *« ma charge est de les faire observer »*. En réalité, il joue davantage le rôle d'un thérapeute que d'un procureur. Si les nouveaux arrivants doivent se plier aux lois de l'île, c'est avant tout dans leur intérêt. *« Remerciez le sort qui vous conduit ici »*, dit Trivelin dans la scène 2, *« nous entreprenons de vous guérir »*. L'île des esclaves est une utopie dans la mesure où elle joue de l'inversion et présente une société parfaite ; mais elle est avant tout une escale sur le chemin du progrès moral. Les naufragés ne sont pas amenés à s'installer définitivement sur l'île. L'échange des noms, des habits, des armes, bref des statuts, n'est qu'une méthode de thérapie morale et non une fin en soi.

Trivelin mène le jeu

Lorsque le dialogue met face à face deux personnages, on s'aperçoit que l'un des protagonistes* est un élément moteur et que l'autre ne fait que le suivre. Marivaux, dans la scène 3, installe une situation triangulaire plus originale ; mais l'idée d'un meneur de jeu est maintenue ; de nombreux indices grammaticaux tels que les modalités interrogative ou impérative révèlent la position dominante de Trivelin.

Si ce représentant des « insulaires » a la maîtrise du dialogue, c'est que les naufragés doivent se plier aux règles de l'île. Or Trivelin se trouve face à deux femmes de condition sociale radi-

* Cf. Lexique.

calement différente ; dans ce triangle, il doit « guérir », la maîtresse et la servante qui lui font face ; la scène alors semble se dédoubler.

.... **Le rôle de Trivelin** ....

❶ Montrez que Trivelin mène le dialogue.
❷ Quels verbes d'opinion peut-on relever dans les répliques de Trivelin ? Que révèlent ces verbes quant au rôle de Trivelin ?
❸ En quoi Trivelin domine-t-il le cours du temps ?
❹ Quels indices grammaticaux montrent que Trivelin est tourné vers les autres ?

.... **La démarche adoptée** ....

❺ Quelle est la méthode adoptée par Trivelin ?
❻ Quelle est la finalité de cette démarche ?

Cléanthis se libère

Au théâtre, les conditions sociales des personnages apparaissent nettement, notamment au travers de leurs costumes : « *J'ai bien connu votre condition à votre habit* », dit Trivelin à Cléanthis au cours de la scène 2. Le statut social se manifeste aussi par la façon de se tenir et de parler. Dans le lexique, comme dans la construction des phrases et du discours, on peut relever différentes marques du rang social. Par exemple, un vocabulaire soutenu, une syntaxe* élaborée et une capacité à abstraire et à généraliser pourront être des indices d'un rang social élevé.
Dans ce passage, Cléanthis est le personnage qui parle le plus, ce qui n'est pas conforme à son statut de servante. Mais, dans la « république » des esclaves, l'inversion lui donne le pouvoir. Ce brusque retournement de la hiérarchie provoque chez Cléanthis une véritable explosion de paroles, comme le montrent les procédés de style mais aussi les types de phrases et la forme des répliques.

* Cf. Lexique.

.... **Le discours d'une servante** ....

❼ À quels indices repère-t-on que Cléanthis est une servante ?
❽ Quelles différences voyez-vous entre la présentation d'Euphrosine faite par Trivelin dans la première réplique du passage et celle faite par Cléanthis ?

.... **Le flot des paroles libératrices** ....

❾ Quels procédés traduisent cette explosion de paroles ?

Les visages d'Euphrosine

Lorsqu'on lit une pièce de théâtre, il ne faut jamais oublier qu'elle est destinée à être représentée. Si un personnage parle peu, cela ne signifie pas qu'il est quasi inexistant. Les expressions de son visage et ses gestes sont tout aussi significatifs que des paroles. Le lecteur d'une scène de théâtre doit s'efforcer de se représenter la scène, il doit lire comme un metteur en scène en s'attachant aux didascalies* et aux répliques qui suggèrent des jeux de scène ou des expressions particulières.

Dans ce passage, Marivaux présente un double visage d'Euphrosine, celui d'une jeune femme torturée par le discours de sa servante et celui d'une mondaine «*vaine, minaudière et coquette*». L'esclave emportée par son «ressentiment» grossit les traits du portrait. L'organisation du portrait et sa théâtralisation sont autant de procédés qui rendent la peinture vivante afin de toucher le spectateur qui devine derrière cette caricature d'Euphrosine une critique sévère de la société.

.... **Les réactions d'Euphrosine** ....

❿ Comment les répliques de Trivelin expriment-elles le trouble d'Euphrosine ?
⓫ Comment Euphrosine exprime-t-elle sa souffrance ?

* *Cf.* Lexique.

.... **Le portrait dressé par la servante** ....

⓬ En quoi le portrait dressé par la servante développe-t-il les trois adjectifs « *vaine, minaudière et coquette* » avancés par Trivelin ?

⓭ Comment, de part et d'autre du « *au contraire* » (l. 108), Cléanthis présente-t-elle deux situations qui dénoncent l'importance accordée à l'apparence ?

⓮ Dans quelle mesure le portrait d'Euphrosine par Cléanthis constitue-t-il une critique sociale ?

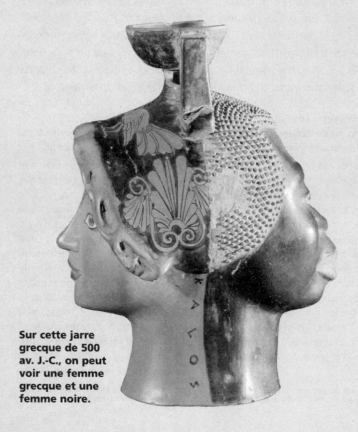

Sur cette jarre grecque de 500 av. J.-C., on peut voir une femme grecque et une femme noire.

Le portrait : la plume et le pinceau

Lectures croisées et travaux d'écriture

On a l'habitude de distinguer le portrait physique et le portrait moral ; mais si cette distinction est un outil efficace lorsqu'on analyse certains romans du XIXᵉ siècle, elle n'est pas toujours pertinente et empêche même parfois de percevoir toute la richesse de l'art du portrait. Car il convient bien de parler d'art et de déployer tout l'éventail sémantique* de ce mot. On peut tout d'abord prendre le mot « art » au sens de « technique » et le portrait a bien recours à des procédés très variés : progression, mise en situation dans un contexte donné, jeux de point de vue*. Mais qui dit « art » dit aussi vision du monde et parti pris esthétique. Le portrait est donc au croisement de la littérature et de la peinture.

La Bruyère, *Les Caractères*

Dans ces Caractères, *La Bruyère présente toute une galerie de portraits qui donnent une image amusante et critique de la société de son temps.*

Iphis voit à l'église un soulier d'une nouvelle mode, il regarde le sien et en rougit, il ne se croit plus habillé ; il était venu à la messe pour s'y montrer, et il se cache ; le voilà retenu par le pied dans sa chambre tout le reste du jour. Il a la main douce, et il l'entretient avec une pâte de senteur[1] ; il a le soin de rire pour montrer ses dents ; il fait la petite bouche, et il n'y a guère de moment où il ne veuille sourire ; il regarde ses jambes, il se voit au miroir, l'on ne peut être plus content de personne qu'il ne l'est de lui-même ; il s'est acquis une voix claire et délicate, et heureusement il parle gras[2] ; il a un mouvement de tête et je ne sais quel adoucissement dans les yeux dont il n'oublie pas de s'embellir ; il a une démarche molle et le plus joli maintien qu'il est capable de se procurer ; il met du rouge, mais rarement, il n'en fait pas habitude ; il est vrai aussi qu'il porte des chausses[3] et un chapeau, et qu'il n'a ni boucles d'oreilles ni collier de perles : aussi ne l'ai-je pas mis dans le chapitre des femmes.

La Bruyère, « De la mode », *Les Caractères*, 1688.

1. pâte de senteur : parfum sous forme de pommade. **2. il parle gras** : le timbre de sa voix est sourd. **3. chausses** : costume masculin, ancienne forme du pantalon.

* *Cf.* Lexique.

Gustave Flaubert, *L'Éducation sentimentale*

Flaubert renouvelle le topos* romanesque de la première rencontre : le jeune Frédéric, personnage principal du roman, découvre sur un bateau Madame Arnoux dont il va devenir amoureux.

Ce fut comme une apparition :

Elle était assise, au milieu du banc, toute seule ; ou du moins il ne distingua personne, dans l'éblouissement que lui envoyèrent ses yeux. En même temps qu'il passait, elle leva la tête ; il fléchit involontairement les épaules ; et, quand il se fut mis plus loin, du même côté, il la regarda.

Elle avait un large chapeau de paille, avec des rubans roses qui palpitaient au vent derrière elle. Ses bandeaux[1] noirs, contournant la pointe de ses grands sourcils, descendaient très bas et semblaient presser amoureusement l'ovale de sa figure. Sa robe de mousseline claire, tachetée de petits pois, se répandait en plis nombreux. Elle était en train de broder quelque chose ; son nez droit, son menton, toute sa personne se découpait sur le fond de l'air bleu.

Comme elle gardait la même attitude, il fit plusieurs tours de droite et de gauche pour dissimuler sa manœuvre ; puis il se planta tout près de son ombrelle, posée contre le banc, et il affectait d'observer une chaloupe sur la rivière.

Jamais il n'avait vu cette splendeur de sa peau brune, la séduction de sa taille, ni cette finesse des doigts que la lumière traversait. Il considérait son panier à ouvrage avec ébahissement, comme une chose extraordinaire. Quels étaient son nom, sa demeure, sa vie, son passé ? Il souhaitait connaître les meubles de sa chambre, toutes les robes qu'elle avait portées, les gens qu'elle fréquentait ; et le désir de la possession physique même disparaissait sous une envie plus profonde, dans une curiosité douloureuse qui n'avait pas de limites.

Gustave Flaubert, *L'Éducation sentimentale*, 1869.

1. **Bandeaux :** cheveux partagés par une raie au milieu et lissés sur les oreilles.

André Breton, « L'Union libre »

Les Surréalistes* ont souvent fait l'éloge de l'amour et de la femme. André Breton, le chef de file de ce mouvement, reprend la forme ancienne du blason* pour faire le portrait d'une femme aimée. Le passage qui suit ne représente qu'une partie de ce long poème qu'est « L'Union libre ».

Ma femme a la chevelure de feu de bois
Aux pensées d'éclairs de chaleur

* *Cf.* Lexique.

À la taille de sablier
Ma femme a la taille de loutre entre les dents du tigre
Ma femme à la bouche de cocarde et de bouquet d'étoiles de dernière
grandeur
Aux dents d'empreintes de souris blanche sur la terre blanche
À la langue d'ambre et de verre frottés
Ma femme a la langue d'hostie poignardée
À la langue de poupée qui s'ouvre et ferme les yeux
À la langue de pierre incroyable
Ma femme aux cils de bâtons d'écriture d'enfant
Aux sourcils de bord de nid d'hirondelle
Ma femme aux tempes d'ardoise de toit de serre
Et de buée aux vitres
Ma femme aux épaules de champagne
Et de fontaine à têtes de dauphins sous la glace
Ma femme aux poignets d'allumettes
Ma femme aux doigts de hasard et d'as de cœur
Aux doigts de foin coupé [...].

André Breton, « L'Union libre » dans Clair de terre, Éditions Gallimard, 1931.

Document
Marcel Proust, « Chardin et Rembrandt »
Après avoir commenté quelques aspects d'un des autoportraits du peintre Chardin, Marcel Proust, romancier mais aussi critique d'art, évoque l'Autoportrait au chevalet.

Dans le portrait dont nous venons de parler, la négligence du déshabillé de Chardin, la tête déjà coiffée d'un bonnet de nuit, le faisait ressembler à une vieille femme. Elle atteint, dans l'autre pastel[1] que Chardin nous a laissé de lui, à l'étrangeté cocasse d'un vieux touriste anglais. Depuis l'abat-jour vigoureusement enfoncé sur le front jusqu'au masulipatan[2] noué autour du cou, tout donne envie de sourire, sans qu'on songe à s'en cacher, devant ce vieil original qui doit être si original, si fou, si doucement docile à accepter une raillerie. Si artiste surtout. Car chaque détail de cette toilette formidable et négligée, tout armée pour la nuit, semble autant qu'un défi à la correction un indice de goût. Si ce masulipatan rose est si vieux, c'est que le vieux rose est plus doux. En voyant ces nœuds roses et jaunes dont la peau jaunie et rosée semble garder les reflets, en reconnaissant dans le rebord bleu de l'abat-jour le sombre éclat des besicles[3] d'acier, l'étonnement que la mise surprenante du vieillard excite d'abord, se fond en un charme doux, dans le plaisir aristocratique aussi de retrouver, jusque dans le désordre apparent du déshabillé d'un vieux bourgeois, la noble hiérarchie des couleurs précieuses, l'ordre des lois de la beauté.

Marcel Proust, « Chardin et Rembrandt », *Essais et articles*, 1895.

1. pastel : tableau réalisé avec des sortes de craies appelées pastels. **2. masulipatan** : toile de coton des Indes. **3. besicles** : anciennes lunettes rondes.

Document
Jean-Baptiste Chardin, *L'Autoportrait au chevalet*, musée du Louvre, vers 1776.

**Document
Photographie d'un écolier**

Corpus
Texte A: Extrait de la scène 3 de *L'Île des esclaves* de Marivaux (pp. 51 à 53).
Texte B: Extrait de « De la mode » dans *Les Caractères* de La Bruyère (p. 60).
Texte C: Extrait de *L'Éducation sentimentale* de Flaubert (p. 61).
Texte D: Extrait de « L'Union libre » dans *Clair de terre* d'André Breton (pp. 61-62).
Document E: Extrait de « Chardin et Rembrandt », dans *Essais et articles* de Marcel Proust (pp. 62-63).
Document F: *L'Autoportrait au chevalet* de Jean-Baptiste Chardin (p. 63).
Document G: Photographie d'un écolier (p. 64).

Examen des textes

❶ En quoi consiste la pointe* dans le texte B ?
❷ Relevez et commentez le vocabulaire mélioratif* dans le texte de Flaubert (texte C).
❸ Étudiez le jeu du point de vue* dans le texte C.
❹ En quoi le poème d'André Breton (texte D) est-il un portrait ?
❺ Comment Marcel Proust dégage-t-il l'ambiguïté de l'auto-portrait de Chardin ?

Travaux d'écriture

Question préliminaire
Comment les documents proposés expriment-ils les différentes fonctions du portrait ?

Commentaire
Vous ferez le commentaire du portrait d'Iphis (texte B).

Dissertation
Dans l'art du portrait, la littérature empreinte à la peinture. Pensez-vous qu'il existe ainsi des passerelles entre la littérature et les autres arts ? Vous vous appuierez sur les textes du corpus et sur vos lectures personnelles.

Écriture d'invention
Après avoir exposé dans un paragraphe une des fonctions du portrait en littérature, vous illustrerez vos propos en rédigeant le portrait correspondant à la photographie de la page 64.

* Cf. Lexique.

TRIVELIN, EUPHROSINE

TRIVELIN – Cette scène-ci vous a un peu fatiguée[1], mais cela ne vous nuira pas.

EUPHROSINE – Vous êtes des barbares.

TRIVELIN – Nous sommes d'honnêtes gens qui vous instrui-
5 sons ; voilà tout : il vous reste encore à satisfaire à une petite formalité.

EUPHROSINE – Encore des formalités !

TRIVELIN – Celle-ci est moins que rien ; je dois faire rapport de tout ce que je viens d'entendre, et de tout ce que vous m'allez
10 répondre. Convenez-vous de tous les sentiments coquets, de toutes les singeries d'amour-propre qu'elle vient de vous attribuer ?

note

| **1. fatiguée :** bouleversée.

66

EUPHROSINE – Moi, j'en conviendrais! Quoi, de pareilles faussetés sont-elles croyables?

15 TRIVELIN – Oh très croyables, prenez-y garde. Si vous en convenez, cela contribuera à rendre votre condition meilleure : je ne vous en dis pas davantage. On espérera que vous étant reconnue, vous abjurerez[1] un jour toutes ces folies qui font qu'on n'aime que soi, et qui ont distrait votre bon cœur d'une infinité

20 d'attentions plus louables. Si au contraire vous ne convenez pas de ce qu'elle a dit, on vous regardera comme incorrigible, et cela reculera votre délivrance. Voyez, consultez-vous.

EUPHROSINE – Ma délivrance! Eh puis-je l'espérer?

TRIVELIN – Oui, je vous la garantis aux conditions que je vous dis.

25 EUPHROSINE – Bientôt?

TRIVELIN – Sans doute.

EUPHROSINE – Monsieur, faites donc comme si j'étais convenue[2] de tout.

TRIVELIN – Quoi, vous me conseillez de mentir?

30 EUPHROSINE – En vérité, voilà d'étranges conditions, cela révolte!

TRIVELIN – Elles humilient un peu, mais cela est fort bon. Déterminez-vous, une liberté très prochaine est le prix de la vérité. Allons, ne ressemblez-vous pas au portrait qu'on a fait?

35 EUPHROSINE – Mais…

TRIVELIN – Quoi?

EUPHROSINE – Il y a du vrai, par-ci, par-là.

TRIVELIN – Par-ci, par-là, n'est point notre compte. Avouez-vous tous les faits? en a-t-elle trop dit? n'a-t-elle dit que ce

40 qu'il faut? Hâtez-vous, j'ai autre chose à faire.

notes

| 1. **abjurerez:** renoncerez à. | 2. **convenue:** d'accord.

EUPHROSINE – Vous faut-il une réponse si exacte ?

TRIVELIN – Eh oui, Madame, et le tout pour votre bien.

EUPHROSINE – Eh bien…

TRIVELIN – Après ?

45 EUPHROSINE – Je suis jeune…

TRIVELIN – Je ne vous demande pas votre âge.

EUPHROSINE – On est d'un certain rang, on aime à plaire.

TRIVELIN – Et c'est ce qui fait que le portrait vous ressemble.

EUPHROSINE – Je crois qu'oui.

50 TRIVELIN – Eh voilà ce qu'il nous fallait. Vous trouvez aussi le portrait un peu risible, n'est-ce pas ?

EUPHROSINE – Il faut bien l'avouer.

TRIVELIN – À merveilles : Je suis content, ma chère dame. Allez rejoindre Cléanthis ; je lui rends déjà son véritable nom, pour
55 vous donner encore des gages de ma parole. Ne vous impatientez point, montrez un peu de docilité[1], et le moment espéré arrivera.

EUPHROSINE – Je m'en fie à vous[2].

notes

1. **docilité :** soumission sans protestation.
2. **Je m'en fie à vous :** je vous fais confiance.

scène 5

ARLEQUIN, IPHICRATE, *qui ont changé d'habits,* TRIVELIN

ARLEQUIN – Tirlan, tirlan, tirlantaine, tirlanton. Gai, camarade, le vin de la République est merveilleux, j'en ai bu bravement ma pinte[1] ; car je suis si altéré[2] depuis que je suis maître, tantôt j'aurai encore soif pour pinte[3]. Que le Ciel conserve la vigne, le vigneron, la vendange et les caves de notre admirable République !

TRIVELIN – Bon, réjouissez-vous, mon camarade. Êtes-vous content d'Arlequin ?

ARLEQUIN – Oui, c'est un bon enfant, j'en ferai quelque chose. Il soupire parfois, et je lui ai défendu cela, sous peine de désobéissance, et je lui ordonne de la joie. *(Il prend son maître par la main et danse.)* Tala rara la la…

notes
_____

1. pinte : mesure d'un litre environ.
2. altéré : assoiffé.

3. j'aurai encore soif pour pinte : j'aurai encore suffisamment soif pour boire une pinte.

TRIVELIN – Vous me réjouissez moi-même.

ARLEQUIN – Oh quand je suis gai, je suis de bonne humeur.

15 TRIVELIN – Fort bien. Je suis charmé de vous voir satisfait d'Arlequin. Vous n'aviez pas beaucoup à vous plaindre de lui dans son pays, apparemment ?

ARLEQUIN – Hé ! Là-bas ? Je lui voulais souvent un mal de diable, car il était quelquefois insupportable : mais à cette heure
20 que je suis heureux, tout est payé, je lui ai donné quittance[1].

TRIVELIN – Je vous aime de ce caractère, et vous me touchez. C'est-à-dire que vous jouirez[2] modestement de votre bonne fortune, et que vous ne lui ferez point de peine ?

ARLEQUIN – De la peine ? ah le pauvre homme ! Peut-être que
25 je serai un petit brin[3] insolent, à cause que je suis le maître : voilà tout.

TRIVELIN – À cause que je suis le maître : vous avez raison.

ARLEQUIN – Oui, car quand on est le maître, on y va tout rondement sans façon[4] ; et si peu de façon mène quelquefois un
30 honnête homme à des impertinences.

TRIVELIN – Oh, n'importe, je vois bien que vous n'êtes point méchant.

ARLEQUIN – Hélas ! je ne suis que mutin[5].

TRIVELIN, à *Iphicrate*. – Ne vous épouvantez point de ce que je
35 vais dire. *(À Arlequin.)* Instruisez-moi d'une chose : comment se gouvernait-il[6] là-bas ; avait-il quelque défaut d'humeur, de caractère ?

ARLEQUIN, *riant*. – Ah ! mon camarade, vous avez de la malice, vous demandez la comédie.

notes

1. **quittance :** papier indiquant qu'une dette a été payée.
2. **jouirez :** profiterez.
3. **un petit brin :** un petit peu.

4. **sans façon :** sans manière.
5. **mutin :** ici, têtu.
6. **gouvernait-il :** comportait-il.

40 TRIVELIN – Ce caractère-là est donc bien plaisant ?

ARLEQUIN – Ma foi, c'est une farce.

TRIVELIN – N'importe, nous en rirons.

ARLEQUIN, à *Iphicrate*. – Arlequin, me promets-tu d'en rire aussi ?

IPHICRATE, *bas*. – Veux-tu achever de me désespérer ; que vas-tu
45 lui dire ?

ARLEQUIN – Laisse-moi faire ; quand je t'aurai offensé, je te
demanderai pardon après.

TRIVELIN – Il ne s'agit que d'une bagatelle[1] ; j'en ai demandé
autant à la jeune fille que vous avez vue, sur le chapitre de[2] sa
50 maîtresse.

ARLEQUIN – Eh bien, tout ce qu'elle vous a dit, c'était des folies
qui faisaient pitié, des misères ; gageons[3] ?

TRIVELIN – Cela est encore vrai.

ARLEQUIN – Eh bien, je vous en offre autant, ce pauvre jeune
55 garçon n'en fournira pas davantage ; extravagance et misère,
voilà son paquet[4] : n'est-ce pas là de belles[5] guenilles[6] pour les
étaler[7] ? étourdi[8] par nature, étourdi par singerie[9], parce que les
femmes les aiment comme cela ; un dissipe-tout[10] ; vilain[11]
quand il faut être libéral[12], libéral quand il faut être vilain ; bon
60 emprunteur, mauvais payeur ; honteux d'être sage, glorieux
d'être fou ; un petit brin moqueur des bonnes gens ; un petit
brin[13] hâbleur[14] ; avec tout plein de maîtresses[15] qu'il ne connaît
pas : voilà mon homme. Est-ce la peine d'en tirer le portrait ?
(À Iphicrate.) Non, je n'en ferai rien, mon ami, ne crains rien.

---

notes

1. bagatelle : chose de peu d'importance.
2. sur le chapitre de : au sujet de.
3. gageons : parions.
4. voilà son paquet : voilà ce que je peux lui reprocher.
5. belles : ici, valeur ironique.
6. guenilles : suite de la métaphore* du « paquet ».
7. étaler : mettre au grand jour.

8. étourdi : irréfléchi.
9. singerie : imitation.
10. dissipe-tout : dépensier.
11. vilain : avare.
12. libéral : généreux.
13. un petit brin : un petit peu.
14. hâbleur : vantard.
15. maîtresses : ici, admiratrices.

65 TRIVELIN – Cette ébauche me suffit. *(À Iphicrate.)* Vous n'avez plus maintenant qu'à certifier pour véritable ce qu'il vient de dire.

IPHICRATE – Moi ?

TRIVELIN – Vous-même. La dame de tantôt[1] en a fait autant ;
70 elle vous dira ce qui l'y a déterminée[2]. Croyez-moi, il y va du plus grand bien que vous puissiez souhaiter.

IPHICRATE – Du plus grand bien ? Si cela est, il y a là quelque chose qui pourrait assez me convenir d'une certaine façon.

ARLEQUIN – Prends tout, c'est un habit fait sur ta taille.[3]

75 TRIVELIN – Il me faut tout ou rien.

IPHICRATE – Voulez-vous que je m'avoue un ridicule[4] ?

ARLEQUIN – Qu'importe, quand on l'a été.

TRIVELIN – N'avez-vous que cela à me dire ?

IPHICRATE – Va donc pour la moitié, pour me tirer d'affaire.

80 TRIVELIN – Va du tout.

IPHICRATE – Soit.

Arlequin rit de toute sa force.

TRIVELIN – Vous avez fort bien fait, vous n'y perdrez rien. Adieu, vous saurez[5] bientôt de mes nouvelles.

---

notes

1. **tantôt** : tout à l'heure.
2. **déterminée** : poussée.

3. **c'est un habit fait sur ta taille** : c'est un portrait qui te correspond entièrement.

4. **un ridicule** : être un personnage ridicule.
5. **saurez** : aurez.

scène 6

CLÉANTHIS, IPHICRATE, ARLEQUIN, EUPHROSINE

CLÉANTHIS – Seigneur Iphicrate, peut-on vous demander de quoi vous riez?

ARLEQUIN – Je ris de mon Arlequin qui a confessé qu'il était un ridicule.

5   CLÉANTHIS – Cela me surprend, car il a la mine d'un homme raisonnable. Si vous voulez voir une coquette de son propre aveu, regardez ma suivante.

ARLEQUIN, *la regardant*. – Malepeste[1], quand ce visage-là fait le fripon[2], c'est bien son métier. Mais parlons d'autres
10 choses, ma belle damoiselle : qu'est-ce que nous ferons à cette heure que nous sommes gaillards[3]?

CLÉANTHIS – Eh ! mais la belle conversation !

notes
....

1. Malepeste: exclamation.   **3. gaillards:** en pleine forme.
2. fripon: coquet, séducteur.

ARLEQUIN – Je crains que cela ne vous fasse bâiller, j'en bâille déjà. Si je devenais amoureux de vous, cela amuserait davan-
15   tage.

CLÉANTHIS – Eh bien, faites. Soupirez pour moi, poursuivez mon cœur, prenez-le si vous pouvez, je ne vous en empêche pas ; c'est à vous à faire vos diligences[1], me voilà, je vous attends : mais traitons l'amour à la grande manière ; puisque
20   nous sommes devenus maîtres, allons-y poliment[2], et comme le grand monde[3].

ARLEQUIN – Oui-da, nous n'en irons que meilleur train[4].

CLÉANTHIS – Je suis d'avis d'une chose ; que nous disions qu'on nous apporte des sièges pour prendre l'air assis[5], et pour écou-
25   ter les discours galants que vous m'allez tenir : il faut bien jouir de[6] notre état, en goûter le plaisir.

ARLEQUIN – Votre volonté vaut une ordonnance[7]. *(À Iphicrate.)* Arlequin, vite des sièges pour moi, et des fauteuils pour Madame.

30   IPHICRATE – Peux-tu m'employer à cela !

ARLEQUIN – La République le veut.

CLÉANTHIS – Tenez, tenez, promenons-nous plutôt de cette manière-là, et tout en conversant vous ferez adroitement tomber l'entretien sur le penchant que mes yeux vous ont inspiré
35   pour moi. Car encore une fois nous sommes d'honnêtes gens[8] à cette heure ; il faut songer à cela, il n'est plus question de familiarité domestique. Allons, procédons noblement, n'épargnez ni compliments, ni révérences.

ARLEQUIN – Et vous, n'épargnez point les mines[9]. Courage ;

notes
....

1. **diligences**: efforts, empressements.
2. **poliment**: avec des manières.
3. **le grand monde**: la haute société.
4. **meilleur train**: plus rapidement.
5. **prendre l'air assis**: être assis (précieux).

6. **jouir de**: profiter de.
7. **ordonnance**: décision officielle.
8. **honnêtes gens**: personnes de condition sociale élevée.
9. **mines**: manières affectées.

40   quand ce ne serait que pour nous moquer de nos patrons.
Garderons-nous nos gens ?

CLÉANTHIS – Sans difficulté : pouvons-nous être sans eux, c'est
notre suite[1] ; qu'ils s'éloignent seulement.

ARLEQUIN, *à Iphicrate.* – Qu'on se retire à dix pas. *(Iphicrate et*
45   *Euphrosine s'éloignent en faisant des gestes d'étonnement et de dou-*
leur ; Cléanthis regarde aller Iphicrate, et Arlequin Euphrosine. Arlequin
se promenant sur le théâtre avec Cléanthis :) – Remarquez-vous,
Madame, la clarté du jour ?

CLÉANTHIS – Il fait le plus beau temps du monde ; on appelle
50   cela un jour tendre.

ARLEQUIN – Un jour tendre ? Je ressemble donc au jour, Madame.

CLÉANTHIS – Comment, vous lui ressemblez ?

ARLEQUIN – Et palsambleu le moyen de n'être pas tendre, quand
on se trouve tête à tête avec vos grâces. *(À ce mot il saute de joie.)*
55   Oh, oh, oh, oh !

CLÉANTHIS – Qu'avez-vous donc, vous défigurez notre conversation ?

ARLEQUIN – Oh, ce n'est rien, c'est que je m'applaudis.

CLÉANTHIS – Rayez ces applaudissements, ils nous dérangent.
60   *(Continuant.)* Je savais bien que mes grâces entreraient pour
quelque chose ici, Monsieur, vous êtes galant, vous vous pro-
menez avec moi, vous me dites des douceurs ; mais finissons,
en voilà assez, je vous dispense des compliments.

ARLEQUIN – Et moi, je vous remercie de vos dispenses.

65 CLÉANTHIS – Vous m'allez dire que vous m'aimez, je le vois
bien : Dites, Monsieur, dites, heureusement on n'en croira rien :
vous êtes aimable, mais coquet[2], et vous ne persuaderez pas.

passage analysé

---

notes

| **1. notre suite :** nos domestiques. | **2. coquet :** léger, dépourvu de réels sentiments.

ARLEQUIN, *l'arrêtant par le bras, et se mettant à genoux.* – Faut-il m'agenouiller, Madame, pour vous convaincre de mes flammes, et de la sincérité de mes feux?

CLÉANTHIS – Mais ceci devient sérieux : laissez-moi, je ne veux point d'affaire[1], levez-vous. Quelle vivacité! Faut-il vous dire qu'on vous aime? Ne peut-on en être quitte à moins? Cela est étrange!

ARLEQUIN, *riant à genoux.* – Ah, ah, ah, que cela va bien! Nous sommes aussi bouffons que nos patrons, mais nous sommes plus sages.

CLÉANTHIS – Oh vous riez, vous gâtez tout.

ARLEQUIN – Ah, ah, par ma foi vous êtes bien aimable, et moi aussi. Savez-vous bien ce que je pense?

CLÉANTHIS – Quoi?

ARLEQUIN – Premièrement, vous ne m'aimez pas, sinon par coquetterie, comme le grand monde.

CLÉANTHIS – Pas encore, mais il ne s'en fallait plus que d'un mot, quand vous m'avez interrompue. Et vous, m'aimez-vous?

ARLEQUIN – J'y allais[2] aussi quand il m'est venu une pensée. Comment trouvez-vous mon Arlequin?

CLÉANTHIS – Fort à mon gré. Mais que dites-vous de ma suivante?

ARLEQUIN – Qu'elle est friponne!

CLÉANTHIS – J'entrevois votre pensée.

ARLEQUIN – Voilà ce que c'est : tombez amoureuse d'Arlequin, et moi de votre suivante ; nous sommes assez forts pour soutenir[3] cela.

notes

| **1. affaire**: ici, intrigue amoureuse. | **2. J'y allais**: j'allais le dire. | **3. soutenir**: mener à bien.

CLÉANTHIS – Cette imagination-là me rit assez[1] ; ils ne sauraient mieux faire que de nous aimer, dans le fond.

ARLEQUIN – Ils n'ont jamais rien aimé de si raisonnable, et nous sommes d'excellents partis pour eux.

100 CLÉANTHIS – Soit. Inspirez à Arlequin de s'attacher à moi, faites-lui sentir l'avantage qu'il y trouvera dans la situation où il est ; qu'il m'épouse, il sortira tout d'un coup d'esclavage ; cela est bien aisé, au bout du compte. Je n'étais ces jours passés qu'une esclave ; mais enfin me voilà dame et maîtresse d'aussi
105 bon jeu qu'une autre[2] : je la[3] suis par hasard ; n'est-ce pas le hasard qui fait tout ? Qu'y a-t-il à dire à cela ? J'ai même un visage de condition, tout le monde me l'a dit.

ARLEQUIN – Pardi je vous prendrais bien, moi, si je n'aimais pas votre suivante un petit brin[4] plus que vous. Conseillez-lui
110 aussi de l'amour pour ma petite personne qui, comme vous voyez, n'est pas désagréable.

CLÉANTHIS – Vous allez être content ; je vais appeler Cléanthis, je n'ai qu'un mot à lui dire : éloignez-vous un instant, et revenez. Vous parlerez ensuite à Arlequin pour moi, car il faut qu'il
115 commence ; mon sexe, la bienséance[5] et ma dignité le veulent.

ARLEQUIN – Oh, ils le veulent, si vous voulez, car dans le grand monde[6] on n'est pas si façonnier[7] ; et sans faire semblant de rien, vous pourriez lui jeter quelque petit mot bien clair à l'aventure[8] pour lui donner courage, à cause que vous êtes plus
120 que lui, c'est l'ordre.

CLÉANTHIS – C'est assez bien raisonner. Effectivement, dans le cas où je suis, il pourrait y avoir de la petitesse à m'assujettir à[9]

notes

1. **me rit assez** : me plaît assez.
2. **d'aussi bon jeu qu'une autre** : valant bien une autre.
3. **la** : remplace «dame et maîtresse».
4. **un petit brin** : un petit peu.
5. **la bienséance** : ce qui est convenable.
6. **le grand monde** : la haute société.
7. **façonnier** : maniéré, affecté.
8. **à l'aventure** : au hasard.
9. **m'assujettir à** : me plier à.

de certaines formalités[1] qui ne me regardent plus ; je comprends cela à merveille, mais parlez-lui toujours, je vais dire un
125 mot à Cléanthis ; tirez-vous à quartier[2] pour un moment.

ARLEQUIN – Vantez mon mérite, prêtez-m'en un peu à charge de revanche.

CLÉANTHIS – Laissez-moi faire. *(Elle appelle Euphrosine.)* Cléanthis ?

1. **de certaines formalités :** certaines formalités.
2. **tirez-vous à quartier :** tenez-vous à l'écart.

Un jeu galant

Trivelin a présenté la règle du nouveau code social et vérifié qu'elle était appliquée. Les quatre naufragés se retrouvent donc livrés à eux-mêmes. La scène 6 occupe une place centrale dans la pièce ; sans Trivelin pour guide, comme dans les scènes 3 et 5, les deux esclaves vont jouer leur nouveau rôle de maîtres. Tout fonctionne désormais sur le mode de l'inversion. Iphicrate et Euphrosine sont réduits au silence tandis que Arlequin et Cléanthis occupent l'avant-scène et monopolisent la parole. Cette inversion des conditions appartient à la tradition médiévale et populaire du carnaval ; on la retrouve dans la farce* et chez Rabelais mais aussi dans les comédies de Molière. Chez Marivaux, elle devient le support d'un jeu subtil de théâtre dans le théâtre qui, tout en divertissant les spectateurs, véhicule une critique sociale sévère.

Des maîtres et des valets

Dans l'île des esclaves, les relations maître-valet sont inversées. Les maîtres qui détenaient le pouvoir à Athènes ont perdu leurs prérogatives. L'examen de la répartition du temps de paroles et des didascalies* ainsi que l'analyse de la fonction (sujet ou objet) des pronoms personnels permettent de montrer comment s'exprime cette perte de pouvoir. Les valets, au contraire, dominent et affirment leur domination ; pour cela, ils ne cessent de dire qu'ils ont la parole et ils reprennent les marques grammaticales du discours de leurs anciens maîtres.

.... **La place des maîtres** ....

❶ De quelle manière ce passage exprime-t-il la nouvelle condition des maîtres ?

* Cf. Lexique.

.... **La place des valets** ....

❷ Relevez et commentez le champ lexical* de la parole.
❸ Quelles marques du discours des valets traduisent l'affirmation de leur nouvelle condition ?

Le théâtre dans le théâtre

Sur l'île des esclaves, le statut d'Arlequin et de Cléanthis a changé. Mais leur nature est la même. La remise en cause de la hiérarchie sociale reste limitée car les valets ne deviennent pas réellement des maîtres : ils jouent le rôle des maîtres. Ainsi la scène 6 n'est pas une scène de métamorphose sociale mais plutôt une scène de théâtre dans le théâtre. Qui dit théâtre dit acteur mais aussi metteur en scène : Cléanthis, actrice, règle également le déroulement du dialogue. L'emploi des impératifs indique qu'elle commande et l'on peut voir dans ses paroles qu'elle fixe le thème de la pièce et qu'elle règle le déplacement et le jeu des acteurs, comme un vrai metteur en scène.
Les paroles d'Arlequin sont souvent l'écho de celles de Cléanthis et, de ce fait, il ne semble pas avoir de réelle autonomie dans le jeu. Le changement de ton au cours de ses répliques démasque le fonctionnement du théâtre dans le théâtre. Ainsi, le rire crée toujours une distance et l'on comprend qu'Arlequin est autant spectateur qu'acteur de la scène galante.

.... **Le metteur en scène** ....

❹ Relevez et commentez dans les répliques de Cléanthis les différentes formes verbales de la modalité injonctive*.
❺ Dans quelle mesure Cléanthis remplit-elle une fonction de metteur en scène dans ce passage ?

.... **Le rôle d'Arlequin** ....

❻ Comment Arlequin se montre-t-il soumis à son metteur en scène ?

* *Cf.* Lexique.

❼ Dans cette scène jouée par des esclaves, comparez la manière de jouer d'Arlequin à celle de Cléanthis.

La critique sociale

En relevant les champs lexicaux* dominants, on trace les contours de la caricature. En jouant à parler comme leurs maîtres, les valets dressent un portrait critique du discours mondain. Marivaux donne à entendre un langage codifié et vide de sens, celui d'un discours amoureux artificiel. Hérité sans doute de l'amour courtois* (*Le Roman de la rose* de Guillaume de Lorris et Jean de Meung) et, de manière plus proche, de la préciosité que Molière a eu l'occasion de dénoncer dans *Les Précieuses ridicules*, le discours amoureux donne l'avantage à la femme qui provoque les déclarations tout en les refusant afin de prolonger le jeu de séduction.

.... **Une société où règne la galanterie** ....

❽ Comment Marivaux exprime-t-il au travers du discours galant des esclaves la place du plaisir dans la vie mondaine ?

.... **Un langage mondain codé et artificiel** ....

❾ Comment les répliques des deux esclaves traduisent-elles le dynamisme d'invitation et de refus qui caractérise le badinage amoureux ?

❿ Quels sens peut-on donner à la dernière réplique de ce passage ?

* *Cf.* Lexique.

La mise en abyme est un procédé employé en peinture comme en littérature. On peut voir ici *Las Méninas* («Les Demoiselles d'honneurs») peint par Diego Velasquez en 1656.

Le théâtre dans le théâtre

Lectures croisées et travaux d'écriture

La mise en abyme est un procédé qui consiste à insérer l'image d'une situation à l'intérieur de cette même situation. Ce n'est pas une invention du Nouveau Roman *et déjà Homère pratiquait ce fascinant processus d'enchâssement dans *L'Odyssée*: à l'occasion du festin organisé par le roi des Phéaciens pour Ulysse, on croise un « vieil aède aveugle » (Homère lui-même ?) qui s'apprête à raconter l'histoire du cheval de Troie (*L'Iliade* ?).

L'esthétique baroque* a beaucoup apprécié ce procédé qui permet de dérouter le lecteur ou le spectateur en créant un jeu de miroirs et de trompe-l'œil. Le théâtre pratique par définition cet emboîtement et ce dédoublement: le comédien est lui-même et il se fait passer pour un autre. Rien d'étonnant donc à ce que les auteurs aient eu envie de poursuivre le jeu en insérant des scènes de théâtre dans le théâtre: le comédien est un homme qui se fait passer pour un autre qui, à son tour, se fait passer pour un autre… Les poupées russes s'embrouillent et le spectateur est pris de vertige…

Pierre Corneille, *L'Illusion comique*

L'Illusion comique de Corneille répond aux critères de l'esthétique baroque. Les illusions s'enchaînent et si Pridamant a d'abord cru assister, grâce au magicien Alcandre, aux aventures de son fils Clindor, il s'aperçoit ici qu'il ne s'agit que de la représentation d'une tragédie.

ALCANDRE
D'un juste désespoir l'effort est légitime,
Et de le détourner je croirais faire un crime.
Oui, suivez ce cher fils sans attendre à demain;
Mais épargnez du moins ce coup à votre main;

* *Cf.* Lexique.

Laissez faire aux douleurs qui rongent vos entrailles,
Et pour les redoubler voyez ses funérailles.

Ici on relève la toile, et tous les comédiens paraissent avec leur portier, qui comptent de l'argent sur une table, et en prennent chacun leur part.

PRIDAMANT
Que vois-je ? chez les morts compte-t-on de l'argent ?

ALCANDRE
Voyez si pas un d'eux s'y montre négligent.

PRIDAMANT
Je vois Clindor ! ah Dieux ! quelle étrange surprise !
Je vois ses assassins, je vois sa femme et Lyse !
Quel charme[1] en un moment étouffe leurs discords[2],
Pour assembler ainsi les vivants et les morts,

ALCANDRE
Ainsi tous les acteurs d'une troupe comique,
Leur poème récité, partage leur pratique[3] :
L'un tue, et l'autre meurt, l'autre vous fait pitié ;
Mais la scène préside à leur inimitié.
Leurs vers font leurs combats, leur mort suit leurs paroles,
Et, sans prendre intérêt en pas un de leurs rôles[4],
Le traître et le trahi, le mort et le vivant,
Se trouvent à la fin amis comme devant.
Votre fils et son train ont bien su, par leur fuite,
D'un père et d'un prévôt[5] éviter la poursuite ;
Mais tombant dans les mains de la nécessité[6],
Ils ont pris le théâtre en cette extrémité.

PRIDAMANT
Mon fils comédien !

ALCANDRE
                    D'un art si difficile
Tous les quatre, au besoin, ont fait un doux asile ;
Et depuis sa prison, ce que vous avez vu,
Son adultère amour, son trépas imprévu,
N'est que la triste fin d'une pièce tragique
Qu'il expose aujourd'hui sur la scène publique,
Par où ses compagnons en ce noble métier
Ravissent à Paris un peuple tout entier.

Le gain leur en demeure, et ce grand équipage,
Dont je vous ai fait voir le superbe étalage[7],
Est bien à votre fils, mais non pour s'en parer[8]
Qu'alors que sur la scène il se fait admirer.

PRIDAMANT

J'ai pris sa mort pour vraie, et ce n'était que feinte :
Mais je trouve partout mêmes sujets de plainte.
Est-ce là cette gloire, et ce haut rang d'honneur
Où le devait monter[9] l'excès de son bonheur.

Pierre Corneille, *L'Illusion comique*, acte V, scène 5, 1636.

1. charme : procédé magique, envoûtement. **2. discords** : désaccords. **3. pratique** : recette.
4. sans être personnellement impliqué dans leur rôle. **5. prévôt** : magistrat. **6. nécessité** : nécessité de survivre. **7. étalage** : spectacle. **8. parer** : donner une image prestigieuse de soi. **9. monter** : conduire, élever.

Molière, *Amphitryon*

Amphitryon, un général victorieux, a chargé son valet Sosie de faire à sa femme Alcmène le récit de la bataille. La scène qui suit est un monologue*.

[...]
Je dois aux yeux d'Alcmène un portrait militaire
Du grand combat qui met nos ennemis à bas ;
  Mais comment diantre[1] le faire,
  Si je ne m'y retrouvai pas ?
N'importe, parlons-en et d'estoc et de taille[2]
  Comme oculaire témoin :
Combien de gens font-ils des récits de bataille
  Dont ils se sont tenus loin ?
  Pour jouer mon rôle sans peine,
  Je le veux un peu repasser.
Voilà la chambre où j'entre en courrier[3] que l'on mène,
  Et cette lanterne est Alcmène
  À qui je me dois adresser.

   Il pose sa lanterne à terre et lui adresse son compliment.

« Madame, Amphitryon, mon maître, et votre époux…
(Bon ! Beau début !) l'esprit toujours plein de vos charmes,
  M'a voulu choisir entre tous,
Pour vous donner avis du succès de ses armes,
Et du désir qu'il a de se voir près de vous. »

* *Cf.* Lexique.

> Ha ! vraiment, mon pauvre Sosie,
>
> À te revoir j'ai de la joie au cœur.
>
> « Madame, ce m'est trop d'honneur,
>
> Et mon destin doit faire envie. »
>
> (Bien répondu !) Comment se porte Amphitryon ?
>
> « Madame, en homme de courage,
>
> Dans les occasions où la gloire l'engage. »
>
> (Fort bien ! belle conception !)
>
> Quand viendra-t-il, par son retour charmant,
>
> Rendre mon âme satisfaite ? »
>
> « Le plus tôt qu'il pourra, Madame assurément,
>
> Mais bien plus tard que son cœur ne souhaite. »
>
> (Ah !) « Mais quel est l'état où la guerre l'a mis ?
>
> Que dit-il ? Que fait-il ? Contente un peu mon âme. »
>
> « Il dit moins qu'il ne fait, Madame,
>
> Et fait trembler les ennemis. »
>
> (Peste ! où prend mon esprit toutes ces gentillesses ?)

Molière, *Amphitryon*, acte I, scène 1, 1668.

1. diantre : exclamatif familier au XVIIe siècle. **2. d'estoc et de taille :** de la pointe et du tranchant de l'épée. **3. courrier :** messager.

Marivaux, *Le Jeu de l'amour et du hasard*

Comme dans L'Île des esclaves, *l'inversion des rôles est un élément moteur du* Jeu de l'amour et du hasard. *Lisette se fait passer pour sa maîtresse Silvia et Arlequin pour son maître Dorante.*

ARLEQUIN – Enfin, ma reine, je vous vois et je ne vous quitte plus ; car j'ai trop pâti d'avoir manqué de votre présence, et j'ai cru que vous esquiviez la mienne.

LISETTE – Il faut vous avouer, monsieur, qu'il en était quelque chose[1].

ARLEQUIN – Comment donc, ma chère âme, élixir[2] de mon cœur, avez-vous entrepris la fin de ma vie ?

LISETTE – Non, mon cher, la durée m'en est trop précieuse.

ARLEQUIN – Ah ! que ces paroles me fortifient !

LISETTE – Et vous ne devez point douter de ma tendresse.

ARLEQUIN – Je voudrais bien pouvoir baiser ces petits mots-là, et les cueillir sur votre bouche avec la mienne.

LISETTE – Mais vous me pressiez sur votre mariage, et mon père ne m'avait pas encore permis de vous répondre; je viens de lui parler, et j'ai son aveu[3] pour vous dire que vous pouvez lui demander ma main quand vous voudrez.

ARLEQUIN – Avant que je la demande à lui, souffrez que je la demande à vous; je veux lui rendre mes grâces de la charité[4] qu'elle aura de vouloir bien entrer dans la mienne, qui en est véritablement indigne.

LISETTE – Je ne refuse pas de vous la prêter un moment, à condition que vous la prendrez pour toujours.

ARLEQUIN – Chère petite main rondelette et potelée, je vous prends sans marchander. Je ne suis pas en peine de l'honneur que vous me ferez; il n'y a que celui que je vous rendrai qui m'inquiète.

LISETTE – Vous m'en rendrez plus qu'il ne m'en faut.

ARLEQUIN – Ah! que nenni; vous ne savez pas cette arithmétique-là aussi bien que moi.

LISETTE – Je regarde pourtant votre amour comme un présent du ciel.

ARLEQUIN – Le présent qu'il vous a fait ne le ruinera pas; il est bien mesquin.

LISETTE – Je ne le trouve que trop magnifique.

ARLEQUIN – C'est que vous ne le voyez pas au grand jour.

LISETTE – Vous ne sauriez croire combien votre modestie m'embarrasse.

ARLEQUIN – Ne faites point dépense d'embarras; je serais bien effronté, si je n'étais pas modeste.

LISETTE – Enfin, monsieur, faut-il vous dire que c'est moi que votre tendresse honore?

ARLEQUIN – Ahi! Ahi! je ne sais plus où me mettre.

LISETTE – Encore une fois, monsieur, je me connais.

Marivaux, *Le Jeu de l'amour et du hasard*, acte III, scène 6, 1730.

1. qu'il en était quelque chose: que c'est un peu vrai. **2. élixir:** boisson magique. **3. aveu:** ici, accord. **4. charité:** générosité.

Examen des textes

❶ Quel rôle joue la didascalie* au début du texte B ?

❷ Repérez et commentez les types de phrases dans les répliques de Pridamant (texte B).

❸ Analysez la situation d'énonciation* dans le texte C.

❹ Quelles ressemblances voyez-vous entre le texte A et le texte D ?

Travaux d'écriture

Question préliminaire
Étudiez dans les différents textes du corpus les ressorts du théâtre dans le théâtre.

Commentaire
Vous ferez le commentaire du texte C.

Dissertation
Corneille donne à la pièce qu'il compose en 1636 le titre d'*Illusion comique*. Le mot « illusion » vous semble-t-il une définition satisfaisante du théâtre ?
Vous vous appuierez sur les textes du corpus et sur vos lectures personnelles pour présenter vos réponses à cette question.

Écriture d'invention
Composez le monologue intérieur d'un personnage hésitant à se lancer dans un mensonge qui, pourtant, lui permettrait de sauver la face dans une situation délicate.

* *Cf.* Lexique.

scène 7

CLÉANTHIS ET EUPHROSINE *qui vient doucement.*

CLÉANTHIS – Approchez, et accoutumez-vous à[1] aller plus vite, car je ne saurais attendre.

EUPHROSINE – De quoi s'agit-il?

CLÉANTHIS – Venez çà, écoutez-moi : un honnête homme vient
5   de me témoigner qu'il vous aime ; c'est Iphicrate.

EUPHROSINE – Lequel?

CLÉANTHIS – Lequel? Y en a-t-il deux ici? c'est celui qui vient de me quitter.

EUPHROSINE – Eh que veut-il que je fasse de son amour?

10 CLÉANTHIS – Eh qu'avez-vous fait de l'amour de ceux qui vous aimaient? Vous voilà bien étourdie[2] : est-ce le mot d'amour qui vous effarouche? vous le connaissez tant cet amour ; vous

notes
_____

| **1. accoutumez-vous à :** prenez l'habitude de. | **2. étourdie :** ici, saisie d'étonnement.

n'avez jusqu'ici regardé les gens que pour leur en donner ; vos beaux yeux n'ont fait que cela, dédaignent-ils la conquête du
15 seigneur Iphicrate ? Il ne vous fera pas de révérences penchées, vous ne lui trouverez point de contenance ridicule, d'airs évaporés : ce n'est point une tête légère, un petit badin[1], un petit perfide[2], un joli volage[3], un aimable indiscret[4] ; ce n'est point tout cela ; ces grâces-là lui manquent, à la vérité ; ce
20 n'est qu'un homme franc, qu'un homme simple dans ses manières, qui n'a pas l'esprit de se donner des airs, qui vous dira qu'il vous aime seulement parce que cela sera vrai : enfin ce n'est qu'un bon cœur, voilà tout ; et cela est fâcheux, cela ne pique point[5]. Mais vous avez l'esprit raisonnable, je vous
25 destine à lui, il fera votre fortune ici, et vous aurez la bonté d'estimer son amour, et vous y serez sensible, entendez-vous[6] ; vous vous conformerez à mes intentions, je l'espère, imaginez-vous même que je le veux.

EUPHROSINE – Où suis-je ! et quand cela finira-t-il ?

30 *Elle rêve.*

---

notes

1. badin : homme spirituel, qui aime rire.
2. perfide : traître.
3. volage : infidèle.
4. indiscret : homme qui agit à la légère, sans réfléchir.

5. ne pique point : n'est pas spirituel, est dépourvu d'originalité.
6. entendez-vous : comprenez-vous.

ARLEQUIN, EUPHROSINE

Arlequin arrive en saluant Cléanthis qui sort. Il va tirer Euphrosine par la manche.

EUPHROSINE – Que me voulez-vous ?

ARLEQUIN, *riant.* – Eh, eh, eh, ne vous a-t-on pas parlé de moi ?

EUPHROSINE – Laissez-moi, je vous prie.

ARLEQUIN – Eh là là, regardez-moi dans l'œil pour deviner ma
5   pensée ?

EUPHROSINE – Eh pensez ce qu'il vous plaira.

ARLEQUIN – M'entendez-vous[1] un peu ?

EUPHROSINE – Non.

ARLEQUIN – C'est que je n'ai encore rien dit.

10 EUPHROSINE, *impatiente.* – Ahi !

passage analysé

note

| **1. M'entendez-vous :** me comprenez-vous.

ARLEQUIN – Ne mentez point ; on vous a communiqué les sentiments de mon âme, rien n'est plus obligeant[1] pour vous.

EUPHROSINE – Quel état[2] !

ARLEQUIN – Vous me trouvez un peu nigaud, n'est-il pas vrai ? mais cela se passera ; c'est que je vous aime, et que je ne sais comment vous le dire.

EUPHROSINE – Vous ?

ARLEQUIN – Eh pardi oui ; qu'est-ce qu'on peut faire de mieux ? Vous êtes si belle, il faut bien vous donner son cœur, aussi bien vous le prendriez de vous-même.

EUPHROSINE – Voici le comble de mon infortune[3].

ARLEQUIN, *lui regardant les mains.* – Quelles mains ravissantes ! les jolis petits doigts ! que je serais heureux avec cela ! mon petit cœur en ferait bien son profit. Reine, je suis bien tendre, mais vous ne voyez rien ; si vous aviez la charité d'être tendre aussi, oh ! je deviendrais fou tout à fait.

EUPHROSINE – Tu ne l'es déjà que trop.

ARLEQUIN – Je ne le serai jamais tant que[4] vous en êtes digne.

EUPHROSINE – Je ne suis digne que de pitié, mon enfant.

ARLEQUIN – Bon, bon, à qui est-ce que vous contez cela ? vous êtes digne de toutes les dignités imaginables : un empereur ne vous vaut pas, ni moi non plus : mais me voilà, moi, et un empereur n'y est pas : et un rien qu'on voit, vaut mieux que quelque chose qu'on ne voit pas. Qu'en dites-vous ?

EUPHROSINE – Arlequin, il me semble que tu n'as point le cœur mauvais.

ARLEQUIN – Oh, il ne s'en fait plus de cette pâte-là, je suis un mouton.

notes

| 1. **obligeant**: flatteur. | 3. **infortune**: malheur. |
| 2. **état**: ici, situation. | 4. **tant que**: autant que. |

EUPHROSINE – Respecte donc le malheur que j'éprouve.

40 ARLEQUIN – Hélas! je me mettrais à genoux devant lui.

EUPHROSINE – Ne persécute point une infortunée, parce que tu peux la persécuter impunément. Vois l'extrémité où je suis réduite; et si tu n'as point d'égard au rang que je tenais dans le monde, à ma naissance, à mon éducation; du moins que mes disgrâces[1], que mon esclavage, que ma douleur t'attendrisse: tu peux ici m'outrager[2] autant que tu le voudras; je suis sans asile et sans défense, je n'ai que mon désespoir pour tout secours, j'ai besoin de la compassion de tout le monde, de la tienne même, Arlequin; voilà l'état où je suis, ne le trouves-tu pas assez misérable? Tu es devenu libre et heureux, cela doit-il te rendre méchant? Je n'ai pas la force de t'en dire davantage; je ne t'ai jamais fait de mal, n'ajoute rien à celui que je souffre.

ARLEQUIN, *abattu et les bras abaissés, et comme immobile.* – J'ai perdu la parole.

notes

| 1. **disgrâces**: malheurs. | 2. **outrager**: humilier, blesser.

93

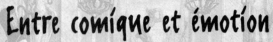
Après le départ de Trivelin, le maître du jeu, les quatre naufragés doivent désormais vivre en respectant le nouveau code social. L'inversion des conditions étant le principe, ce sont les anciens valets qui vont mener les dialogues, les maîtres étant quasiment réduits au silence comme on le voit dans la scène 6.

Sur le thème de la séduction, Cléanthis, accompagnée d'Arlequin, va broder différentes combinaisons possibles. La pièce met en scène quatre naufragés, deux hommes et deux femmes, ce qui offre plusieurs possibilités. On peut tout d'abord respecter les conditions sociales : c'est ce qui se passe dans la scène 6 lorsque les valets, promus maîtres par le jeu de l'inversion, jouent une scène galante. On peut aussi imaginer croiser les conditions : à la fin de la scène 6, Marivaux trace en pointillés (bienséance oblige) un scénario qui rapprocherait Iphicrate et Cléanthis. Dans la scène 8, Arlequin tente de séduire Euphrosine et, dans cette scène proche du dénouement, on est frappé par le mélange des registres comme par la richesse du personnage d'Arlequin.

Aux limites de la comédie

Une scène de théâtre est une petite unité dynamique ; le dialogue progresse et l'on peut dégager une évolution en plusieurs étapes. La longueur des répliques est souvent un indice significatif car une variation de longueur traduit un changement dans la scène. On peut s'intéresser également aux champs lexicaux* qui expriment les préoccupations successives des personnages.

Si les préoccupations des personnages en présence sont très différentes, la scène peut être, non pas simplement comique ou

* *Cf.* Lexique.

simplement tragique, mais riche d'une association de registres. Traditionnellement au XVIIe siècle, les registres ne doivent pas être mélangés et l'on ne saurait rencontrer de passages émouvants dans *Les Fourberies de Scapin* de Molière. Mais la comédie, chez Marivaux, si elle reprend dans ses grandes lignes les habitudes du siècle classique, devient plus subtile.

C'est le langage, moteur de l'action au théâtre, qui permet le glissement d'un registre à un autre. Il peut être l'instrument d'un jeu : les répliques s'enchaînent les unes aux autres, rebondissent comme les pirouettes d'un acrobate. Il peut également être un moyen d'expression et véhiculer des sentiments sincères et des émotions.

La composition de la scène

❶ En quoi la longueur des répliques permet-elle de dégager la composition de la scène ?

❷ Commentez la présence de deux champs lexicaux* différents, celui du badinage amoureux et celui de la souffrance.

Le changement de registre

❸ À quels indices perçoit-on le changement de registre au cours de la scène ?

Les deux fonctions du langage

❹ Comment le langage sert-il de support au jeu amoureux dans la première partie de la scène ?

❺ Dans quelle mesure le langage devient-il un instrument de vérité dans la seconde partie ?

Euphrosine : une héroïne tragique ?

Les différents genres théâtraux, définis au XVIIe siècle et non remis en cause au siècle des Lumières, mettent en scène des conditions sociales bien distinctes. La comédie représente le monde de la

* Cf. Lexique.

bourgeoisie et des valets tandis que la tragédie se déroule au sein de familles de la haute aristocratie.

Le héros tragique ne se déguise pas ; il exprime ses sentiments et sa souffrance en toute sincérité. Sa situation est sans issue ; il se retrouve en position de victime, prisonnier d'un destin contre lequel il ne peut rien, ce qui, selon Aristote, inspire au spectateur terreur et pitié.

Dans cette scène Euphrosine n'est plus la précieuse dont se moquait Cléanthis ; elle a acquis une certaine dimension tragique. Si la comédie permet la critique, la tragédie incarne des valeurs à défendre. En ce sens, Euphrosine exprime les valeurs auxquelles croit Marivaux.

.... **Une aristocrate** ....

❻ De quelle manière Marivaux exprime-t-il la supériorité sociale d'Euphrosine ?

.... **Une victime** ....

❼ En quoi Euphrosine apparaît-elle ici bien différente du portrait qu'en dresse Cléanthis dans la scène 3 ?

.... **Au-delà des conventions** ....

❽ Dans quelle mesure Euphrosine se situe-t-elle par-delà la hiérarchie sociale ?
❾ Quelles sont les valeurs prônées par la jeune femme ?

La richesse du personnage d'Arlequin

Arlequin est un personnage de la commedia dell'arte* ; il existe comme personnage de théâtre en dehors de cette petite pièce de Marivaux. On l'apprécie pour ses pirouettes, son rire, son talent à jouer avec les situations et les mots. Tenir le rôle d'Iphicrate en singeant le langage galant de son maître est tout à fait dans ses cordes et Marivaux écrivait ses comédies en pensant précisément

* Cf. Lexique.

aux acteurs de la troupe des Italiens. Mais si Arlequin se moque et s'amuse, s'il peut même chercher à tromper, ce n'est jamais avec méchanceté. Euphrosine remarque bien d'ailleurs qu'il n'a pas « *le cœur mauvais* ». C'est un être du présent et ce n'est pas une coïncidence si l'improvisation fait partie de son rôle. Arlequin est un personnage stéréotypé que Marivaux ne saurait modifier. Mais il pousse le personnage à l'extrême en lui donnant le maximum de consistance humaine. Ainsi, de même qu'il tire de la comédie des accents tragiques, Marivaux joue sur tous les registres de cet Arlequin pourtant prédéfini.

.... **Arlequin joue son nouveau rôle** ....

⑩ Relevez et commentez la présence du champ lexical* de la galanterie dans les répliques d'Arlequin.
⑪ De quelle manière voit-on qu'Arlequin a adopté le langage des maîtres ?

.... **La sincérité d'Arlequin** ....

⑫ Quelles marques de la spontanéité du personnage peut-on relever ?
⑬ Commentez : « *C'est que je vous aime, et que je ne sais comment vous le dire.* »

.... **Les limites du personnage** ....

⑭ Dans quelle mesure Arlequin est-il un personnage à la fois comique et émouvant ?
⑮ En quoi voit-on qu'Arlequin se présente lui-même comme un personnage de théâtre au rôle prédéfini ?

* *Cf.* Lexique.

**La figure d'Arlequin a inspiré de nombreux artistes comme ici
Pablo Picasso avec cet *Arlequin avec une guitare* (1918).**

La déclaration d'amour

Lectures croisées et travaux d'écriture

Dans *Le Bourgeois gentilhomme* de Molière, lorsque Monsieur Jourdain souhaite apprendre à bien écrire, c'est pour adresser une déclaration d'amour à une marquise : *« Belle marquise, vos beaux yeux me font mourir d'amour. »* On écrit ce que l'on n'ose pas toujours dire et le sentiment amoureux trouve sans doute sa plus belle expression dans la littérature. Et lorsque l'on rapproche les mots « littératures » et « amour », on pense sans doute au chevalier et à sa dame, à Roméo et Juliette, à la carte du Tendre des romans de Mademoiselle de Scudéry car l'amour est au cœur de la littérature courtoise médiévale et de ses prolongements à la Renaissance et dans la préciosité. Il constitue aussi l'élément moteur des intrigues dans la comédie comme bien souvent dans la tragédie (*Bérénice* ou *Phèdre* de Racine, par exemple) ou dans le drame romantique (*Hernani* de Victor Hugo, pour n'en citer qu'un seul). Quant au roman, on aurait presque envie de dire que l'expression « roman d'amour » est un pléonasme*.

Racine, *Phèdre*

Phèdre, la femme de Thésée, voue à son beau-fils Hippolyte un amour interdit. Dans la scène 5 de l'acte II, elle ne peut s'empêcher d'avouer ce sentiment au jeune homme.

PHÈDRE

Ah ! cruel, tu m'as trop entendue.
Je t'en ai dit assez pour te tirer d'erreur.
Hé bien ! connais donc Phèdre et toute sa fureur.
J'aime. Ne pense pas qu'au moment que je t'aime,
Innocente à mes yeux, je m'approuve moi-même ;
Ni que fol[1] amour qui trouble ma raison
Ma lâche complaisance ait nourri le poison.
Objet infortuné des vengeances célestes,

* *Cf.* Lexique.

Je m'abhorre[2] encor plus que tu ne me détestes.
Les Dieux m'en sont témoins, ces Dieux qui dans mon flanc[3]
Ont allumé le feu fatal à tout mon sang;
Ces dieux qui se font une gloire cruelle
De séduire le cœur d'une faible mortelle.
Toi-même en ton esprit rappelle le passé.
C'est peu de t'avoir fui, cruel, je t'ai chassé;
J'ai voulu te paraître odieuse, inhumaine;
Pour mieux te résister, j'ai recherché ta haine.
De quoi m'ont profité mes inutiles soins?
Tu me haïssais plus, je ne t'aimais pas moins.
Tes malheurs te prêtaient encor de nouveaux charmes.
J'ai langui, j'ai séché, dans les feux, dans les larmes.
Il suffit de tes yeux pour t'en persuader,
Si tes yeux un moment pouvaient me regarder.
Que dis-je? Cet aveu que je te viens de faire,
Cet aveu si honteux, le crois-tu volontaire?
Tremblante pour un fils que je croyais trahir,
Je te venais prier de ne le point haïr.
Faibles projets d'un cœur trop plein de ce qu'il aime!
Hélas! je ne t'ai pu parler que de toi-même.
Venge-toi, punis-moi d'un odieux amour […]
Voilà mon cœur. C'est là que ta main doit frapper.
Impatient déjà d'expier son offense,
Au-devant de ton bras je le sens qui s'avance.
Frappe. Ou si tu le crois indigne de tes coups,
Si ta haine m'envie un supplice si doux,
Ou si d'un sang trop vil ta main serait trempée,
Au défaut de ton bras prête-moi ton épée.
Donne.

Racine, *Phèdre*, acte II, scène 5, 1677.

1. fol: fou, passionné. **2. abhorre**: déteste. **3. dans mon flanc**: en mon sein.

Jean-Jacques Rousseau, *La Nouvelle Héloïse*

Faisant allusion à une histoire d'amour célèbre, celle d'Héloïse et du théologien Abélard (XIe siècle), Rousseau écrit un roman épistolaire* dans lequel l'amour de Julie et de Saint-Preux se trouve confronté aux conventions sociales.

* Cf. Lexique.

Lettre 1
À Julie

Il faut fuir, Mademoiselle, je le sens bien : j'aurais dû beaucoup moins attendre, ou plutôt il fallait ne vous voir jamais. Mais que faire aujourd'hui ? Comment m'y prendre ? Vous m'avez promis de l'amitié ; voyez mes perplexités[1], et conseillez-moi.

Vous savez que je ne suis entré dans votre maison que sur l'invitation de Madame votre mère. Sachant que j'avais cultivé quelques talents agréables, elle a cru qu'ils ne seraient pas inutiles, dans un lieu dépourvu de maîtres, à l'éducation d'une fille qu'elle adore. Fier, à mon tour, d'orner de quelques fleurs un si beau naturel, j'osai me charger de ce dangereux soin sans prévoir le péril, ou du moins sans le redouter. Je ne vous dirai point que je commence à payer le prix de ma témérité : j'espère que je ne m'oublierai jamais[2] jusqu'à vous tenir des discours qu'il ne vous convient pas d'entendre, et manquer au respect que je dois à vos mœurs, encore plus qu'à votre naissance et à vos charmes. Si je souffre, j'ai du moins la consolation de souffrir seul, et je ne voudrais pas d'un bonheur qui pût coûter au vôtre. Cependant je vous vois tous les jours ; et je m'aperçois que sans y songer vous aggravez innocemment des maux que vous ne pouvez plaindre, et que vous devez ignorer. Je sais, il est vrai, le parti que dicte en pareil cas la prudence au défaut de l'espoir, et je me serais efforcé de le prendre, si je pouvais accorder en cette occasion la prudence à l'honnêteté ; mais comment me retirer décemment d'une maison dont la maîtresse elle-même m'a offert l'entrée, où elle m'accable de bontés, où elle me croit de quelque utilité à ce qu'elle a de plus cher au monde ? Comment frustrer cette tendre mère du plaisir de surprendre un jour son époux par vos progrès dans des études qu'elle lui cache à ce dessein[3] ? Faut-il quitter impoliment sans lui rien dire ? Faut-il lui déclarer le sujet de ma retraite, et cet aveu même ne l'offensera-t-il pas de la part d'un homme dont la naissance et la fortune ne peuvent lui permettre d'aspirer à vous[4] ?

Je ne vois, Mademoiselle, qu'un moyen de sortir de l'embarras où je suis ; c'est que la main qui m'y plonge m'en retire, que ma peine ainsi que ma faute me vienne de vous, et qu'au moins par pitié pour moi vous daigniez m'interdire votre présence. Montrez ma lettre à vos parents ; faites-moi refuser votre porte ; chassez-moi comme il vous plaira ; je puis tout endurer de vous ; je ne puis vous fuir de moi-même.

Vous, me chasser ! moi, vous fuir ! et pourquoi ? Pourquoi donc est-ce un crime d'être sensible au mérite, et d'aimer ce qu'il faut qu'on honore ?

Non, belle Julie; vos attraits avaient ébloui mes yeux, jamais ils n'eussent égaré mon cœur, sans l'attrait plus puissant qui les anime. C'est cette union touchante d'une sensibilité si vive et d'une inaltérable douceur, c'est cette pitié si tendre à tous les maux d'autrui, c'est cet esprit juste et ce goût exquis qui tirent leur pureté de celle de l'âme, ce sont, en un mot, les charmes des sentiments bien plus que ceux de la personne, que j'adore en vous. Je consens qu'on vous puisse imaginer plus belle encore; mais plus aimable et plus digne du cœur d'un honnête homme, non Julie, il n'est pas possible.

Jean-Jacques Rousseau, *La Nouvelle Héloïse*, incipit, 1761.

1. perplexités: problèmes. **2. je ne m'oublierai jamais:** je ne perdrai jamais le contrôle de moi-même. **3. à ce dessein:** dans ce but. **4. d'aspirer à vous:** de prétendre vous épouser.

Guillaume Apollinaire, *Poèmes à Lou*

Apollinaire, des tranchées de la Première Guerre mondiale, dédie le poème qui suit à la comtesse Louise de Coligny, dite Lou.

Je t'écris ô mon Lou de la hutte en roseaux
Où palpitent d'amour et d'espoir neuf cœurs d'hommes
Les canons font partir leurs obus en monômes[1]
Et j'écoute gémir la forêt sans oiseaux

Il était une fois en Bohême un poète
Qui sanglotait d'amour puis chantait au soleil
Il était autrefois la comtesse A*lou*ette
Qui sut si bien mentir qu'il en perdit la tête
En perdit sa chanson en perdit le sommeil

Un jour elle lui dit Je t'aime ô mon poète
Mais il ne la crut pas et sourit tristement
Puis s'en fut en chantant Tire-lire[2] Alouette
Et se cachait au fond d'un petit bois charmant

Un soir en gazouillant son joli tire-lire
La comtesse A*lou*ette arriva dans le bois
Je t'aime ô mon poète et je viens te le dire
Je t'aime pour toujours Enfin je te revois
Et prends-la pour toujours mon âme qui soupire

Ô cruelle A*lou*ette au cœur de vautour
Vous mentîtes encore au poète crédule
J'écoute la forêt gémir au crépuscule

La comtesse s'en fut et puis revint un jour
Poète adore-moi moi j'aime un autre amour

Il était une fois un poète en Bohême
Qui partit à la guerre on ne sait pas pourquoi
Voulez-vous être aimé n'aimez pas croyez-moi
Il mourut en disant Ma comtesse je t'aime
Et j'écoute à travers le petit jour si froid
Les obus s'envoler comme l'amour lui-même

Guillaume Apollinaire, *Poèmes à Lou*, section XXXIV, 10 avril 1915.

1. monômes: cortège d'étudiants fêtant la fin des examens. **2. Tire-lire:** expression empruntée à une chanson populaire.

Corpus

Texte A: Scène 8 de *L'Île des esclaves* de Marivaux (pp. 91 à 93).
Texte B: Extrait de la scène 5 de l'acte II de *Phèdre* de Racine (pp. 99-100).
Texte C: Extrait de l'incipit de *La Nouvelle Héloïse* de Rousseau (pp. 101-102).
Texte D: *Poèmes à Lou*, section XXXIV de Guillaume Apollinaire (pp. 102-103).

Examen des textes

❶ Quelle forme prend l'aveu dans le texte B?
❷ Classez les marques du genre épistolaire* dans le texte C.
❸ Quelles sont les différentes étapes de la déclaration d'amour dans le texte C?
❹ Dans le texte D, les pronoms personnels de l'énonciation* renvoient-ils toujours aux mêmes personnages?

Travaux d'écriture

Question préliminaire
Caractérisez les différentes situations d'énonciation mises en place dans les textes du corpus ainsi que les différents registres* sur lesquels s'effectuent les déclarations d'amour proposées.

* Cf. Lexique.

Commentaire
Vous ferez le commentaire du poème de Guillaume Apollinaire (texte D).

Dissertation
À lire les textes du corpus, on pourrait croire que les écrivains ne font que parler d'amour… En vous appuyant sur ces textes mais aussi sur vos lectures personnelles, vous analyserez la place et la fonction du sentiment amoureux dans la littérature.

Écriture d'invention
Imaginez une réponse argumentée de Julie à la lettre de Saint-Preux.

scène 9

IPHICRATE, ARLEQUIN

IPHICRATE – Cléanthis m'a dit que tu voulais t'entretenir
avec moi; que me veux-tu? as-tu encore quelques nouvelles insultes à me faire?

ARLEQUIN – Autre personnage qui va me demander encore
5   ma compassion. Je n'ai rien à te dire, mon ami, sinon que je
voulais te faire commandement d'aimer la nouvelle
Euphrosine: voilà tout. À qui diantre en as-tu?

IPHICRATE – Peux-tu me le demander, Arlequin?

ARLEQUIN – Eh pardi oui je le peux, puisque je le fais.

10   IPHICRATE – On m'avait promis que mon esclavage finirait
bientôt, mais on me trompe, et c'en est fait[1], je succombe;
je me meurs, Arlequin, et tu perdras bientôt ce malheureux
maître qui ne te croyait pas capable des indignités qu'il a
souffertes de toi.

note

| 1. c'en est fait: c'est fini.

105

15 ARLEQUIN – Ah! il ne nous manquait plus que cela, et nos amours auront bonne mine. Écoute; je te défends de mourir par malice[1]; par maladie, passe, je te le permets.

IPHICRATE – Les dieux te puniront, Arlequin.

ARLEQUIN – Eh, de quoi veux-tu qu'ils me punissent, d'avoir eu
20 du mal[2] toute ma vie?

IPHICRATE – De ton audace et de tes mépris envers ton maître : rien ne m'a été si sensible, je l'avoue. Tu es né, tu as été élevé avec moi dans la maison de mon père, le tien y est encore; il t'avait recommandé ton devoir en partant; moi-même, je
25 t'avais choisi par un sentiment d'amitié pour m'accompagner dans mon voyage; je croyais que tu m'aimais, et cela m'attachait à toi.

ARLEQUIN, *pleurant*. – Et qui est-ce qui te dit que je ne t'aime plus?

30 IPHICRATE – Tu m'aimes, et tu me fais mille injures!

ARLEQUIN – Parce que je me moque un petit brin[3] de toi; cela empêche-t-il que je t'aime? Tu disais bien que tu m'aimais, toi, quand tu me faisais battre; est-ce que les étrivières[4] sont plus honnêtes[5] que les moqueries?

35 IPHICRATE – Je conviens que j'ai pu quelquefois te maltraiter sans trop de sujet.

ARLEQUIN – C'est la vérité.

IPHICRATE – Mais par combien de bontés ai-je réparé cela?

ARLEQUIN – Cela n'est pas de ma connaissance.

40 IPHICRATE – D'ailleurs, ne fallait-il pas te corriger de tes défauts?

notes
....

1. **malice**: méchanceté.
2. **mal**: malheur.
3. **un petit brin**: un petit peu.

4. **étrivières**: lanières de cuir servant à attacher les étriers à la selle d'un cheval; on peut s'en servir comme d'un fouet.
5. **honnêtes**: polies.

ARLEQUIN – J'ai plus pâti[1] des tiens que des miens : mes plus grands défauts, c'était ta mauvaise humeur, ton autorité, et le peu de cas que tu faisais de ton pauvre esclave.

45 IPHICRATE – Va, tu n'es qu'un ingrat ; au lieu de me secourir ici, de partager mon affliction, de montrer à tes camarades l'exemple d'un attachement qui les eût touchés, qui les eût engagés peut-être à renoncer à leur coutume ou à m'en affranchir, et qui m'eût pénétré moi-même de la plus vive reconnaissance.

50 ARLEQUIN – Tu as raison, mon ami, tu me remontres[2] bien mon devoir ici pour toi, mais tu n'as jamais su le tien pour moi, quand nous étions dans Athènes. Tu veux que je partage ton affliction[3], et jamais tu n'as partagé la mienne. Eh bien va, je dois avoir le cœur meilleur que toi, car il y a plus longtemps
55 que je souffre, et que je sais ce que c'est que de la peine ; tu m'as battu par amitié ; puisque tu le dis, je te le pardonne ; je t'ai raillé[4] par bonne humeur, prends-le en bonne part, et fais-en ton profit. Je parlerai en ta faveur à mes camarades, je les prierai de te renvoyer ; et s'ils ne le veulent pas, je te garderai
60 comme mon ami ; car je ne te ressemble pas, moi, je n'aurais point le courage d'être heureux à tes dépens.

IPHICRATE, *s'approchant d'Arlequin*. – Mon cher Arlequin ! Fasse le Ciel, après ce que je viens d'entendre, que j'aie la joie de te montrer un jour les sentiments que tu me donnes pour toi !
65 Va, mon cher enfant, oublie que tu fus mon esclave, et je me ressouviendrai toujours que je ne méritais pas d'être ton maître.

ARLEQUIN – Ne dites donc point comme cela, mon cher patron ; si j'avais été votre pareil, je n'aurais peut-être pas
70 mieux valu que vous : c'est à moi à vous demander pardon du

notes

1. pâti : souffert.
2. tu me remontres : tu me présentes comme un reproche.

3. affliction : douleur.
4. je t'ai raillé : je me suis moqué de toi.

mauvais service que je vous ai toujours rendu. Quand vous n'étiez pas raisonnable, c'était ma faute.

IPHICRATE, *l'embrassant*. Ta générosité me couvre de confusion.

ARLEQUIN – Mon pauvre patron, qu'il y a de plaisir à bien faire !

75 *Après quoi il déshabille son maître.*

IPHICRATE – Que fais-tu, mon cher ami ?

ARLEQUIN – Rendez-moi mon habit, et reprenez le vôtre, je ne suis pas digne de le porter.

IPHICRATE – Je ne saurais retenir mes larmes ! Fais ce que tu
80 voudras.

scène 10

CLÉANTHIS, EUPHROSINE, IPHICRATE, ARLEQUIN

CLÉANTHIS, *en entrant avec Euphrosine qui pleure.* – Laissez-moi, je n'ai que faire de vous entendre gémir. *(Et plus près d'Arlequin.)* Qu'est-ce que cela signifie, seigneur Iphicrate ; pourquoi avez-vous repris votre habit ?

5 ARLEQUIN, *tendrement.* – C'est qu'il est trop petit pour mon cher ami, et que le sien est trop grand pour moi.

Il embrasse les genoux de son maître.

CLÉANTHIS – Expliquez-moi donc ce que je vois ; il semble que vous lui demandiez pardon ?

10 ARLEQUIN – C'est pour me châtier de mes insolences.

CLÉANTHIS – Mais enfin, notre projet ?

ARLEQUIN – Mais enfin, je veux être un homme de bien ; n'est-ce pas là un beau projet ? Je me repens de mes sottises, lui des siennes ; repentez-vous des vôtres, madame Euphrosine se
15 repentira aussi ; et vive l'honneur après : cela fera quatre beaux repentirs, qui nous feront pleurer tant que nous voudrons.

EUPHROSINE – Ah, ma chère Cléanthis, quel exemple pour vous !

IPHICRATE – Dites plutôt quel exemple pour nous, Madame, vous m'en voyez pénétré[1].

20

CLÉANTHIS – Ah vraiment, nous y voilà, avec vos beaux exemples ; voilà de nos gens[2] qui nous méprisent dans le monde, qui font les fiers, qui nous maltraitent, qui nous regardent comme des vers de terre, et puis, qui sont trop heureux dans l'occasion de nous trouver cent fois plus honnêtes gens qu'eux. Fi, que cela est vilain, de n'avoir eu pour tout mérite que de l'or, de l'argent, et des dignités : c'était bien la peine de faire tant les glorieux[3] ; où en seriez-vous aujourd'hui, si nous n'avions pas d'autre mérite que cela pour vous ? Voyons, ne seriez-vous pas bien attrapés ? Il s'agit de vous pardonner ; et pour avoir cette bonté-là, que faut-il être, s'il vous plaît ? Riche ? non, noble ? non, grand seigneur ? point du tout. Vous étiez tout cela, en valiez-vous mieux ? Et que faut-il donc ? Ah ! Nous y voici. Il faut avoir le cœur bon, de la vertu et de la raison ; voilà ce qu'il faut, voilà ce qui est estimable, ce qui distingue, ce qui fait qu'un homme est plus qu'un autre. Entendez-vous, messieurs les honnêtes gens du monde ? voilà avec quoi l'on donne les beaux exemples que vous demandez, et qui vous passent[4] : et à qui les demandez-vous ? À de pauvres gens que vous avez toujours offensés, maltraités, accablés, tout riches que vous êtes, et qui ont aujourd'hui pitié de vous, tout pauvres qu'ils sont. Estimez-vous à cette heure, faites les superbes[5], vous aurez bonne grâce : allez, vous devriez rougir de honte !

25

30

35

40

45

ARLEQUIN – Allons, ma mie, soyons bonnes gens sans le reprocher, faisons du bien sans dire d'injures ; ils sont contrits[6]

---

notes

1. **pénétré** : ému.
2. **gens** : domestiques.
3. **glorieux** : fiers.
4. **passent** : dépassent.
5. **superbes** : orgueilleux.
6. **contrits** : malheureux.

d'avoir été méchants, cela fait qu'ils nous valent bien ; car quand on se repent, on est bon ; et quand on est bon, on est aussi avancé que nous. Approchez, madame Euphrosine, elle vous pardonne, voici qu'elle pleure, la rancune s'en va et votre affaire est faite.

CLÉANTHIS – Il est vrai que je pleure, ce n'est pas le bon cœur qui me manque.

EUPHROSINE, *tristement*. – Ma chère Cléanthis, j'ai abusé de l'autorité que j'avais sur toi, je l'avoue.

CLÉANTHIS – Hélas, comment en aviez-vous le courage ! Mais voilà qui est fait, je veux bien oublier tout, faites comme vous voudrez ; si vous m'avez fait souffrir, tant pis pour vous, je ne veux pas avoir à me reprocher la même chose, je vous rends la liberté ; et s'il y avait un vaisseau, je partirais tout à l'heure[1] avec vous : voilà tout le mal que je vous veux ; si vous m'en faites encore, ce ne sera pas ma faute.

ARLEQUIN, *pleurant*. – Ah la brave fille ! Ah le charitable naturel !

IPHICRATE – Êtes-vous contente, Madame ?

EUPHROSINE, *avec attendrissement*. – Viens, que je t'embrasse, ma chère Cléanthis.

ARLEQUIN, *à Cléanthis*. – Mettez-vous à genoux pour être encore meilleure qu'elle.

EUPHROSINE – La reconnaissance me laisse à peine la force de te répondre. Ne parle plus de ton esclavage, et ne songe plus désormais qu'à partager avec moi tous les biens que les dieux m'ont donnés, si nous retournons à Athènes.

note

| 1. **tout à l'heure** : tout de suite.

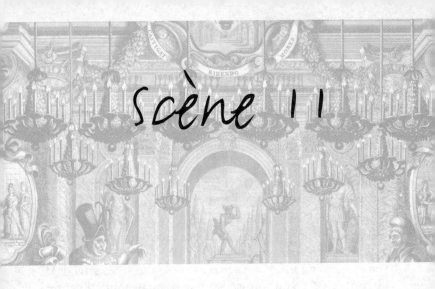

Scène 11

TRIVELIN, *et les acteurs précédents*

TRIVELIN – Que vois-je, vous pleurez, mes enfants, vous vous embrassez!

ARLEQUIN – Ah! vous ne voyez rien, nous sommes admirables; nous sommes des rois et des reines; en fin finale, la paix est
5 conclue, la vertu a arrangé tout cela; il ne nous faut plus qu'un bateau et un batelier¹ pour nous en aller; et si vous nous les donnez, vous serez presque aussi honnêtes gens que nous.

TRIVELIN – Et vous, Cléanthis, êtes-vous du même sentiment?

10 CLÉANTHIS, *baisant la main de sa maîtresse.* – Je n'ai que faire de vous en dire davantage, vous voyez ce qu'il en est.

ARLEQUIN, *prenant aussi la main de son maître pour la baiser.* – Voilà aussi mon dernier mot, qui vaut bien des paroles.

note

| **1. batelier**: marin (en principe sur les canaux et les rivières).

112

TRIVELIN – Vous me charmez, embrassez-moi aussi mes chers
enfants, c'est là ce que j'attendais ; si cela n'était pas arrivé,
nous aurions puni vos vengeances comme nous avons puni
leurs duretés. Et vous Iphicrate, vous Euphrosine, je vous vois
attendris, je n'ai rien à ajouter aux leçons que vous donne
cette aventure ; vous avez été leurs maîtres, et vous en avez mal
agi ; ils sont devenus les vôtres, et ils vous pardonnent ; faites
vos réflexions là-dessus. La différence des conditions n'est
qu'une épreuve que les dieux font sur nous : je ne vous en dis
pas davantage. Vous partirez dans deux jours, et vous reverrez
Athènes. Que la joie à présent et que les plaisirs succèdent aux
chagrins que vous avez sentis, et célèbrent le jour de votre vie
le plus profitable.

« Nous sommes des rois et des reines »

Lecture analytique de la scène 11, p. 112 à p. 113

Au XVIIIe siècle, le théâtre poursuit la séparation des genres exigée par le classicisme*. Marivaux écrit des comédies à la suite de Molière toujours considéré comme le maître incontesté du genre. Aussi retrouve-t-on dans *L'Île des esclaves* nombre de caractéristiques déjà présentes dans *Les Fourberies de Scapin*. La comédie est le domaine du plaisir et le dénouement est heureux ; la comédie est le règne de l'hyperbole* et le dénouement est nécessairement dans le ton.

Dans *L'Île des esclaves*, comédie en un acte, le dénouement occupe les trois dernières scènes, ce qui respecte à peu près les proportions d'un acte de dénouement dans les comédies en cinq actes. La dernière scène fonctionne comme une sorte d'épilogue et apporte la conclusion de la pièce. La dernière réplique résonne en point d'orgue (on ne saurait oublier, par exemple, le « *Mes gages !* » qui achève le *Dom Juan* de Molière).

Il est intéressant de voir comment Marivaux s'inscrit dans la tradition de la comédie classique tout en renouvelant le genre et comment les dernières répliques éclairent la progression et la signification de sa pièce.

La dernière scène

Marivaux écrit pour le théâtre des Italiens et s'inspire de la commedia dell'arte* moins soucieuse de vraisemblance* que la comédie classique. Le théâtre ne se veut pas un reflet fidèle de la réalité et l'on ne s'étonne pas de voir en compagnie d'un personnage de la Grèce antique un Arlequin masqué. Le Théâtre-Italien aime se montrer comme théâtre ; au cours de *L'Île des esclaves*, et notamment dans la scène finale, Marivaux fait dire à ses personnages que la pièce est sur le point de s'achever.

* *Cf.* Lexique.

Dans ses grandes lignes, le dénouement de *L'Île des esclaves* reprend les habitudes du théâtre classique telles qu'on les trouve chez Molière. Les problèmes posés au début de la pièce sont résolus de manière inattendue et heureuse ; tous les personnages se trouvent réunis pour célébrer une issue quasi merveilleuse.

Dans *Le Bourgeois gentilhomme* ou dans *Le Malade imaginaire*, la pièce proprement dite est prolongée par des chants et des danses rappelant ainsi que le théâtre est avant tout un spectacle. Le texte des répliques n'est qu'un élément d'une œuvre dont la finalité est la représentation et le théâtre donne autant à voir qu'à entendre.

.... **Une fin qui se montre** ....

❶ De quelle manière Marivaux, au travers des paroles de ses personnages, montre-t-il que cette scène est la dernière ?

.... **La fin d'une comédie** ....

❷ En quoi cette scène répond-elle aux questions posées dans la scène 1 ?

❸ Relevez et commentez les marques du mélioratif* dans la scène.

❹ En quoi cette scène est-elle bien la scène finale d'une comédie ?

.... **Un spectacle** ....

❺ En quoi peut-on remarquer que le texte est bien le support d'un spectacle ?

Le retour de Trivelin

Face aux quatre naufragés qui viennent d'Athènes, Trivelin est le seul personnage qui représente les esclaves révoltés de l'île. C'est, traditionnellement, un valet de la commedia dell'arte*, comme Arlequin mais moins spontané et plus rusé. En étudiant

* Cf. Lexique.

sa présence en scène tout au long de la pièce et en dégageant son rôle lors de ses différentes interventions, on le voit acquérir une position dominante dans le jeu de l'inversion. En relevant les procédés grammaticaux et stylistiques significatifs, on peut montrer sa supériorité par rapport aux autres personnages et sa maîtrise du cours des événements, tel un véritable metteur en scène.

L'Île des esclaves est une comédie en un acte et tout contribue à resserrer l'intrigue. Marivaux a certes choisi, comme Molière dans *Les Fourberies de Scapin*, de présenter deux couples maître/ valet afin de multiplier les combinaisons possibles, mais un seul personnage, Trivelin, est chargé de représenter les insulaires. Au travers des paroles du personnage, on voit sa fonction représentative mais aussi exécutive : il parle au nom des esclaves révoltés organisés en république et il se charge de faire appliquer la loi.

Il est fréquent de rencontrer dans les comédies de Marivaux un personnage qui représente l'auteur. Ainsi, connaissant l'ensemble du « jeu de l'amour et du hasard », Orgon et Marion, le père et le frère de la jeune fille, se divertissent d'une situation qu'ils orchestrent comme deux metteurs en scène. Marionnettes en quête de vérité et marionnettistes : les comédies de Marivaux jouent souvent sur un « double registre » pour reprendre le titre d'une étude de Jean Rousset (voir bibliographie page 157).

Un personnage dominant

❻ Dans quelles scènes Trivelin apparaît-il ? Commentez votre relevé.

❼ De quelle manière Trivelin affirme-t-il sa supériorité par rapport aux autres personnages ?

❽ Dans quelle mesure peut-on dire que Trivelin domine également le cours du temps ?

Un représentant des insulaires

❾ En quoi voit-on que Trivelin incarne la loi de l'île ?

🔟 Grâce à quels indices peut-on comprendre que Trivelin est chargé de dresser le bilan de la pièce ?

La leçon de la pièce

Pour dégager le sens d'une œuvre, il est indispensable d'observer sa progression en comparant tout simplement les situations initiale et finale. Si la fin reproduit le début, on parlera de cercle ou de boucle. Le dénouement annule ainsi ce qui a lieu au cours de la pièce et renforce ce qui précédait les transformations. Dans le cas de *L'Île des esclaves*, si la progression est effectivement circulaire, c'est l'inversion qui est gommée et l'ordre social qui se trouve conforté.

Si, au contraire, on observe des différences entre la fin de la pièce et son début, on pourra parler de progression linéaire et étudier ces différences afin d'éclairer la signification de l'œuvre.

.... **Une boucle ?** ....

⓫ Dans quelle mesure la scène 11 marque-t-elle un retour à la situation initiale ?

⓬ Commentez la phrase de Trivelin : « *La différence des conditions n'est qu'une épreuve que les dieux font sur nous.* »

.... **Une évolution ?** ....

⓭ Quelles modifications le dénouement introduit-il par rapport à la situation initiale ?

⓮ Commentez la phrase d'Arlequin : « *Nous sommes des rois et des reines.* »

⓯ Quelle leçon Marivaux nous invite-t-il à tirer de cette évolution ?

Depuis Descartes, les philosophes et les écrivains affirment leur volonté de regarder le monde par eux-mêmes en se débarrassant de toute idée préconçue. Lorsqu'on connaît l'enchaînement des événements qui a conduit, à la fin du XVIIIᵉ siècle, à la disparition d'une société et d'un régime vieux de plusieurs siècles, on est amené à examiner le rôle des écrivains dans cette transformation. Comment représentent-ils la société et sa hiérarchie ? Comment transmettent-ils au lecteur ou au spectateur leur vision critique de la réalité ?

Le débat va bien au-delà du siècle des Lumières et les philosophes du XVIIIᵉ siècle sont loin d'être les seuls à avoir interrogé les fondements de nos structures sociales.

Jean de La Fontaine, « Le Loup et le Chien »

La Fontaine, en mettant en scène des animaux dans des fables qui ressemblent plus à des pièces de théâtre qu'à de simples récits, donne une image de la société de son temps et soulève des questions, telles celles de la servitude et de la liberté, qui traversent les siècles.

Un Loup n'avoit que les os et la peau,
     Tant les chiens faisaient bonne garde.
Ce Loup rencontre un Dogue aussi puissant que beau,
Gras, poli, qui s'étoit fourvoyé¹ par mégarde.
     L'attaquer, le mettre en quartiers,
     Sire Loup l'eût fait volontiers ;
     Mais il falloit livrer bataille,
     Et le mâtin² étoit de taille
     À se défendre hardiment.
     Le Loup donc l'aborde humblement,
Entre en propos, et lui fait compliment

Sur son embonpoint, qu'il admire.
      « Il ne tiendra qu'à vous beau sire,
D'être aussi gras que moi, lui repartit[3] le Chien.
      Quittez les bois, vous ferez bien :
      Vos pareils y sont misérables,
      Cancres, hères[4], et pauvres diables,
Dont la condition est de mourir de faim.
Car quoi ? rien d'assuré : point de franche lippée[5] ;
      Tout à la pointe de l'épée[6].
Suivez-moi : vous aurez un bien meilleur destin. »
      Le Loup reprit : « Que me faudra-t-il faire ?
– Presque rien, dit le Chien : donner la chasse aux gens
      Portants bâtons, et mendiants ;
Flatter ceux du logis, à son maître complaire :
      Moyennant quoi votre salaire
Sera force reliefs de toutes les façons,
      Os de poulets, os de pigeons,
      Sans parler de mainte caresse. »
Le Loup déjà se forge une félicité
      Qui le fait pleurer de tendresse.
Chemin faisant, il vit le col du Chien pelé.
« Qu'est-ce là ? lui dit-il. – Rien. – Quoi ? rien ? – Peu de chose.
– Mais encor ? – Le collier dont je suis attaché
De ce que vous voyez est peut-être la cause.
– Attaché ? dit le Loup : vous ne courez donc pas
   Où vous voulez ? – Pas toujours ; mais qu'importe ?
– Il importe si bien, que de tous vos repas
      Je ne veux en aucune sorte,
Et ne voudrois pas même à ce prix un trésor. »
Cela dit, maître Loup s'enfuit, et court encor.

Jean de La Fontaine « Le Loup et le Chien », *Fables*, Livre I, 1668.

1. fourvoyé : égaré. **2. mâtin** : chien. **3. repartit** : répondit. **4. hères** : hommes misérables.
5. lippée : bouchée. **6. Tout à la pointe de l'épée** : vous n'obtenez ce que vous avez que par le combat.

Denis Diderot, article « Autorité politique », l'*Encyclopédie*

*Entreprise par Diderot et d'Alembert, l'*Encyclopédie *rassemble l'ensemble des connaissances du XVIIIᵉ siècle et n'hésite pas à exprimer des critiques dans le domaine politique et social.*

Aucun homme n'a reçu de la nature le droit de commander aux autres. La liberté est un présent du Ciel, et chaque individu de la même espèce a le droit d'en jouir aussitôt qu'il jouit de la raison. Si la nature a établi quelque *autorité*, c'est la puissance paternelle : mais la puissance paternelle a ses bornes ; et dans l'état de nature[1], elle finirait aussitôt que les enfants seraient en état de se conduire. Toute autre *autorité* vient d'une autre origine que la nature. Qu'on examine bien et on la fera toujours remonter à l'une de ces deux sources : ou la force et la violence de celui qui s'en est emparé ; ou le consentement de ceux qui s'y sont soumis par un contrat fait ou supposé[2] entre eux et celui à qui ils ont déféré[3] l'*autorité*.

La puissance qui s'acquiert par la violence n'est qu'une usurpation et ne dure qu'autant que la force de celui qui commande l'emporte sur celle de ceux qui obéissent ; en sorte que, si ces derniers deviennent à leur tour les plus forts, et qu'ils secouent le joug, ils le font avec autant de droit et de justice que l'autre qui le leur avait imposé. La même loi qui a fait l'*autorité* la défait alors : c'est la loi du plus fort.

Quelquefois l'*autorité* qui s'établit par la violence change de nature ; c'est lorsqu'elle continue et se maintient du consentement exprès de ceux qu'on a soumis : mais elle entre par là dans la seconde espèce dont je vais parler et celui qui se l'était arrogée[4] devenant alors prince cesse d'être tyran.

La puissance, qui vient du consentement des peuples, suppose nécessairement des conditions qui en rendent l'usage légitime, utile à la société, avantageux à la république[5], et qui la fixent et la restreignent entre des limites ; car l'homme ne doit ni ne peut se donner entièrement et sans réserve à un autre homme, parce qu'il a un maître supérieur au-dessus de tout, à qui seul il appartient tout entier. C'est Dieu, dont le pouvoir est toujours immédiat sur la créature, maître aussi jaloux[6] qu'absolu, qui ne perd jamais de ses droits et ne les communique point. Il permet pour le bien commun et pour le maintien de la société que les hommes établissent entre eux un ordre de subordination, qu'ils obéissent à l'un d'eux ; mais il veut que ce soit par raison et avec mesure, et non pas aveuglément et sans réserve, afin que la créature ne s'arroge pas les droits du Créateur. Toute autre soumission est le véritable crime de l'idolâtrie[7].

Diderot, Encyclopédie, article « Autorité politique », 1772.

1. état de nature : état naturel de l'homme avant la naissance de la société. **2. contrat fait ou supposé** : réalisé ou tacite. **3. déféré** : accordé. **4. arrogée** : attribuée sans y avoir droit. **5. république** : État. **6. jaloux** : attaché à son pouvoir. **7. idolâtrie** : amour porté à un faux dieu.

Charles Baudelaire, « Le joujou du pauvre », *Petits poèmes en prose*
Baudelaire, avec les Petits Poèmes en prose*, renouvelle le genre poétique en présentant une succession de tableaux évocateurs.*

Sur une route, derrière la grille d'un vaste jardin, au bout duquel apparaissait la blancheur d'un joli château frappé par le soleil, se tenait un enfant beau et frais, habillé de ces vêtements de campagne si pleins de coquetterie.

Le luxe, l'insouciance et le spectacle habituel de la richesse, rendent ces enfants-là si jolis qu'on les croirait faits d'une autre pâte que les enfants de la médiocrité ou de la pauvreté.

À côté de lui, gisait sur l'herbe un joujou splendide aussi frais que son maître, verni, doré, vêtu d'une robe pourpre, et couvert de plumets et de verroteries. Mais l'enfant ne s'occupait pas de son joujou préféré, et voici ce qu'il regardait :

De l'autre côté de la grille, sur la route, entre les chardons et les orties, il y avait un autre enfant, sale, chétif, fuligineux[1], un de ces marmots-parias dont un œil impartial découvrirait la beauté, si, comme l'œil du connaisseur devine une peinture idéale sous un vernis de carrossier, il le nettoyait de la répugnante patine[2] de la misère.

À travers les barreaux symboliques séparant deux mondes, la grande route et le château, l'enfant pauvre montrait à l'enfant riche son propre joujou, que celui-ci examinait avidement comme un objet rare et inconnu. Or, ce joujou, que le petit souillon agaçait, agitait et secouait dans une boîte grillée, c'était un rat vivant ! Les parents, par économie sans doute, avaient tiré le joujou de la vie elle-même.

Et les deux enfants se riaient l'un à l'autre fraternellement, avec des dents d'une égale blancheur.

Charles Baudelaire, « Le joujou du pauvre » dans Petits poèmes en prose, 1869.

1. fuligineux : noirâtre, comme couvert de suie. **2. patine :** dépôt qui se forme au fil du temps à la surface de certains objets anciens.

Corpus

Texte A : Scène 11 de *L'Île des esclaves* de Marivaux (pp. 112-113).

Texte B : « Le Loup et le Chien », Livre I des *Fables* de La Fontaine (pp. 118-119).

Texte C : Extrait de l'article « Autorité politique », dans l'*Encyclopédie* de Diderot (pp. 119-120).

Texte D : Extrait du « Joujou du pauvre » dans *Petits poèmes en prose* de Baudelaire (p. 121).

Examen des textes

❶ Quels procédés font de la fable « Le Loup et le Chien » une véritable petite pièce de théâtre ?

❷ Comment la fonction didactique* de la fable est-elle remplie dans le texte B ?

❸ Quel est le genre du texte C ? À quels indices le voit-on ?

❹ Quelles oppositions structurent le texte D ?

❺ Relevez les indices d'une généralisation dans le texte D.

Travaux d'écriture

Question préliminaire

Comment les différents textes du corpus parviennent-ils à donner une image de la hiérarchie sociale ?

Commentaire

Vous ferez le commentaire du texte D.

Dissertation

À la lumière des textes du corpus et de vos lectures personnelles, vous vous demanderez si la littérature a pour vocation de faire évoluer la société.

Écriture d'invention

Comme La Fontaine dans « Le Loup et le Chien » ou Baudelaire dans « Le joujou du pauvre », vous mettrez en scène, dans un texte narratif et didactique*, deux personnages opposés.

* *Cf.* Lexique.

Paul Robeson dans *Show Boat*, 1936.
Chaque époque a donné sa propre vision de l'esclavage. Dans cette
comédie musicale où l'on chante et l'on danse sur fond d'histoire
d'amour, une chanson, *Old Man River*, permet l'irruption du folklore
élaboré par des esclaves dans la comédie musicale.

Divertissement

L'Isle des esclaves

Air pour les esclaves

Un esclave :

Quand un homme est fier de son rang
Et qu'il me vante sa naissance,
Je ris je ris de notre impertinence,
5   Qui de ce nain fait un géant.

Mais a-t-il l'âme respectable ?
Est-il né tendre et généreux ;
Je voudrais forger une fable
Qui le fit descendre des dieux.

10   Je voudrais forger une fable
Qui le fit descendre des dieux.

2ᵉ. Air pour les mêmes

Vaudeville

1. Point de liberté dans la vie :
15   Quand le plaisir veut nous guider,
Tout aussitôt la raison crie.
Moi, ne pouvant les accorder,
Je n'en fais qu'à ma fantaisie.

2. La vertu seule a droit de plaire,
20   Dit le philosophe ici-bas.
C'est bien dit, mais ce pauvre hère
Aime l'argent et n'en a pas.
Il en médit dans sa colère.

3. « Arlequin au parterre » :
25   J'avais cru, patron de la case
Et digne objet de notre amour,
Qu'ici, comme en campagne rase,
L'herbe croîtrait au premier jour.
Je vous vois, je suis en extase.

L'Île des esclaves : bilan de première lecture

❶ D'où viennent les quatre naufragés ?

❷ À quel moment Arlequin apprend-il qu'il se trouve sur l'île des esclaves ?

❸ Quels sont les deux objets qui garantissent l'autorité d'Iphicrate ?

❹ Que tient Arlequin dans sa main au début de la pièce ?

❺ Que redoute Iphicrate sur l'île des esclaves ?

❻ Combien la pièce compte-t-elle de personnages ?

❼ Dans quelles scènes les personnages se trouvent-ils tous réunis ?

❽ Comment se nomme le représentant de l'île ?

❾ Combien de temps le séjour des naufragés sur l'île est-il censé durer ?

❿ Combien de temps ce séjour durera-t-il en réalité ?

⓫ Quelle est la finalité de l'inversion des rôles ?

⓬ Qui dresse un portrait négatif d'Euphrosine ?

⓭ Quels adjectifs négatifs sont, à l'occasion du portrait, appliqués à Euphrosine ?

⓮ Quelles combinaisons amoureuses sont l'objet de scènes ?

⓯ Quelle est la combinaison amoureuse qui est suggérée mais non traitée sur scène ?

⓰ Qui a l'initiative du retour à l'ordre social initial ?

⓱ Que demande Arlequin au représentant de l'île dans la dernière scène ?

⓲ Qui a le dernier mot dans la pièce ?

L'île des esclaves,
une comédie
au siècle
des Lumières

La structure de la pièce

L'Île des esclaves est une pièce en un acte écrite par un auteur qui, dans la querelle des Anciens et des Modernes, se voulait résolument moderne. Cependant, il continue de respecter les règles qui orientent le théâtre du XVIIᵉ siècle. Cette comédie resserrée suit en effet parfaitement la règle des trois unités et progresse de manière traditionnelle: une exposition, des péripéties constituées par les différentes épreuves que doivent subir les maîtres et un dénouement heureux. Mais lorsqu'on voit que la dernière scène nous ramène à la situation initiale, on peut se demander s'il convient vraiment ici de parler de progression.

Un cercle

À retenir

Une exposition programmatique
Les scènes 1 et 2 annoncent au spectateur ce qui va se passer.

Une pièce sans surprise

Reprenant une tradition dans la tragédie, Marivaux annonce, lors de l'exposition, le déroulement de sa pièce. Anouilh, dans son *Antigone*, soulignera cette fonction programmatique* de l'exposition en présentant clairement le destin de chacun des protagonistes*. Les tirades d'Arlequin et surtout de Trivelin à la fin des scènes 1 et 2 jouent exactement ce rôle: «*On va te faire esclave à ton tour*», explique le valet à son maître. Le représentant des insulaires va plus loin puisqu'il expose même le dénouement: «*votre esclavage, ou plutôt votre cours d'humanité, dure trois ans, au bout desquels on vous renvoie, si vos maîtres sont contents de vos progrès*». L'unité de temps prendra le pas sur la vraisemblance et une journée suffira pour effectuer la transformation des

* *Cf. Lexique.*

maîtres ; mais le programme de Trivelin donne bien une image fidèle du déroulement de la pièce. On est loin du jeu de surprises propre aux comédies de Molière et l'on sait qu'à la fin les naufragés pourront poursuivre leur voyage.

Le retour au point de départ

Dans la scène 9, Arlequin amorce le dénouement en rejetant l'inversion instaurée par Trivelin et en souhaitant le retour à l'ordre initial : «*Rendez-moi mon habit, et reprenez le vôtre.*» Tout ce qui a été échafaudé au cours des scènes précédentes semble disparaître et Arlequin adopte de nouveau le tutoiement. Cléanthis, avec un peu plus de réticence sans doute, fait de même dans la scène 10 : «*je vous rends la liberté*». Puis Trivelin, qui était venu donner les règles du jeu et diriger la thérapie des portraits, revient dans la scène finale pour donner un ton officiel à ce retour au point de départ.

Tout est fait pour souligner cette boucle. Les personnages, par exemple, ne se trouvent tous réunis que dans deux scènes qui se font écho, les scènes 2 et 11 dans lesquelles Trivelin joue pleinement son rôle de metteur en scène. Le naufrage, présenté dans la scène 1 comme une erreur dans le parcours d'Iphicrate, semble gommé par la promesse d'un retour à Athènes dans la scène finale : «*Vous partirez dans deux jours, et vous reverrez Athènes.*» Les personnages vont quitter l'île des esclaves et tout se passera comme si le passage par l'utopie* n'était qu'une parenthèse fantaisiste. Cette escale involontaire n'aura été qu'une sorte de mirage et l'île redeviendra le «nulle part» que promet l'étymologie même du mot «utopie».

À retenir

Une progression circulaire
À la fin de la pièce, les personnages retrouvent leur condition initiale.

* *Cf.* Lexique.

On peut même penser que cette fin heureuse non seulement efface la possibilité de l'inversion en réinstallant l'ordre initial, mais fait de la hiérarchie en place une évidence dont les personnages se félicitent. « *Que vois-je ? vous pleurez, mes enfants, vous vous embrassez !* » s'exclame Trivelin lorsqu'il revient à la scène 11. Que les maîtres soient heureux d'avoir retrouvé leur statut privilégié, on le conçoit aisément mais on est un peu plus étonné de voir Arlequin et Cléanthis se réjouir d'être des esclaves. On peut mettre cette joie sur le compte du coup de théâtre ou de l'utopie*; mais sans doute consacre-t-elle aussi l'inégalité sociale.

La répétition comme principe dynamique

La comédie de Marivaux semble bâtie, dans sa structure d'ensemble comme dans l'organisation des personnages et des scènes, sur un principe de répétition. On a vu que la fin reprenait le début, réunissant les personnages dans la scène 11 de même que dans la scène 2. Dans le corps même de la pièce, on trouve également des scènes ou des situations qui se répètent.

* *Cf. Lexique.*

LES PORTRAITS

Scène 3	Scène 5
Trivelin, Euphrosine et Cléanthis	*Trivelin, Iphicrate et Arlequin*
À la demande de Trivelin, Cléanthis dresse le portrait de sa maîtresse.	À la demande de Trivelin, Arlequin dresse un portrait de son maître.

LES SCÈNES DE SÉDUCTION

Scène 6	Scène 8
Arlequin et Cléanthis (avec Iphicrate et Euphrosine comme spectateurs)	*Arlequin et Euphrosine*
Arlequin et Cléanthis jouent une scène galante à la manière de leurs maîtres; Cléanthis a l'initiative.	Arlequin tente de séduire Euphrosine.

LES SCÈNES DE RENONCEMENT

Scène 9	Scène 10
Iphicrate et Arlequin	*Euphrosine et Cléanthis (guidées par Arlequin et Iphicrate)*
Arlequin, de son propre chef, reprend sa condition de valet.	Cléanthis, suivant Arlequin, rend sa liberté à Euphrosine.

Ces parallélismes sont rendus possibles par le système des personnages: comme souvent dans les comédies (*Le Jeu de l'amour et du hasard* par exemple), Marivaux met en scène deux maîtres et deux valets, ce qui permet de multiplier les combinaisons possibles et de jouer l'inversion au masculin comme au féminin.

Une progression linéaire

Un dénouement qui marque une évolution

Cette structure circulaire et ce jeu de répétitions qui fait progresser la pièce se doublent d'une progression linéaire. De nombreuses différences entre le début et la fin de la pièce peuvent être relevées:

Exposition	Dénouement
Scène 1 • La hiérarchie sociale est imposée de l'extérieur.	**Scènes 9, 10, 11** • La hiérarchie sociale est choisie par les personnages.
• La hiérarchie sociale est mal vécue par Arlequin.	• La hiérarchie sociale est source de joie.
• L'autorité du maître repose sur la force.	• Il n'est plus question de force (plus d'épée).
• Iphicrate tente de donner des ordres à son esclave.	• Arlequin mène les trois scènes avant de rendre la main à Trivelin.
	• Cléanthis rend sa liberté à Euphrosine qui lui propose de partager avec elle « *tous les biens que les dieux* [lui] *ont donnés* ».
• La hiérarchie se traduit par une opposition.	• « *la paix est conclue* ». • Les valeurs morales priment sur la hiérarchie sociale.

Les étapes de l'évolution

EXPOSITION : scènes 1 et 2	LES ÉPREUVES : scènes 3 à 8	LE DÉNOUEMENT : scènes 9 à 11
Situation initiale : deux maîtres et leurs esclaves naviguent (rappel dans la scène 1).	**La thérapie des portraits, avec Trivelin :** scènes 3, 4 et 5.	**Le renoncement d'Arlequin :** scène 9.
Élément perturbateur : un naufrage les jette sur l'île des esclaves (rappel dans la scène 1).	**La pratique autonome de l'inversion – Les jeux de séduction :** scènes 6, 7 et 8.	**Le renoncement de Cléanthis :** scène 10.
Nouvelle situation : Trivelin, qui incarne la loi de l'île, impose une inversion des conditions à des fins de thérapie morale ; il s'agit de libérer les esclaves et de faire progresser les maîtres (scène 2).		**L'épilogue :** scène 11.
Problèmes posés : comment l'inversion va-t-elle fonctionner ? Comment les valets vont-ils en profiter ? Comment les maîtres vont-ils la vivre ?		**La leçon de la pièce :** la hiérarchie sociale est inévitable ; les personnages rétablissent l'ordre initial mais la paix règne car cet ordre est accepté ; ce qui prime, ce sont les valeurs morales.

Une dynamique interne

Si on compare *L'Île des esclaves* avec une comédie de Molière, comme *Le Médecin malgré lui* ou *Les Fourberies de Scapin*, on peut observer une grande différence concernant la progression de la pièce. Chez Molière, ce sont des événements extérieurs qui font évoluer la situation alors que la dynamique de *L'Île des esclaves,* comme celle des autres pièces de Marivaux, repose uniquement sur l'évolution des personnages. Seules les épreuves et les prises de conscience qui en résultent conduisent au dénouement. Dans les comédies de Molière, c'est l'intrigue qui avance, les personnages restant inchangés : les pères restent avares et égoïstes, les valets fourbes... Chez Marivaux, les personnages, maîtres ou valets, évoluent et c'est cette évolution qui fait avancer l'histoire.

À retenir

Le moteur de l'intrigue
Les personnages évoluent moralement et cette progression fait avancer l'intrigue.

Le jeu dynamique de l'ouverture et du resserrement

Sur un mode qui ressemble à celui des répétitions et des variations (le cercle et la progression), le jeu des ouvertures et des resserrements contribue à donner à la comédie son unité tout en assurant son dynamisme.

LES PERSONNAGES

Ouverture	Resserrement
• Le titre annonce un pluriel.	• Trivelin représente les insulaires.
• La scène 1 évoque de nombreux compagnons.	• Marivaux ne présente que quatre naufragés.
• Marivaux présente deux maîtres.	• Les situations des maîtres sont parallèles, de même celles des valets.

LE TEMPS

Ouverture	Resserrement
• Marivaux situe l'intrigue dans une temporalité élargie : la révolte des esclaves.	• La comédie est centrée sur le séjour des naufragés (entre naufrage et départ).
• Trivelin annonce que les épreuves doivent durer trois ans.	• Les épreuves ne durent qu'une journée, *« le jour de votre vie le plus profitable »* (scène 11).
• Marivaux associe la Grèce antique au travers d'Iphicrate et d'Euphrosine à la comédie italienne ; Euphrosine et Iphicrate sont dépeints comme des aristocrates du XVIIIe siècle.	Le temps est un temps théâtral réduit qui ne cherche pas la vraisemblance ; les personnages, situés hors du temps historique, ne vivent qu'au rythme de leur propre histoire.

L'ESPACE

Ouverture	Resserrement
• À plusieurs reprises, les naufragés évoquent Athènes.	• La comédie est centrée sur l'île, un espace utopique, exclusivement théâtral.
• Quelques allusions dessinent, sur l'île, des lieux non représentés.	• Marivaux respecte l'unité de lieu de manière très rigoureuse.

Le personnage d'Arlequin n'a jamais cessé d'inspirer écrivains, acteurs, peintres et costumiers. On peut voir ici des portraits d'acteurs célèbres du XVIIe et du XVIIIe siècle dans des rôles d'Arlequin.

L'île des esclaves : une comédie au XVIIIe siècle

Au XVIIe siècle, le théâtre est compartimenté en trois genres principaux : la tragédie, la tragi-comédie et la comédie. Comédie et tragédie sont des formes reprises de l'Antiquité ; depuis le XVIe siècle, les Grecs et les Latins sont considérés comme des modèles que l'on ne peut qu'imiter. Le XVIIIe siècle n'introduit pas de modifications fondamentales dans cette division tripartite. La tragédie demeure l'art noble par excellence et Voltaire, qui a obtenu de grands succès avec ses tragédies, a toujours pensé que là résidait sa vocation la plus prestigieuse. Il a fait erreur : on continue de jouer les tragédies classiques, celles de Corneille ou de Racine, les tragi-comédies de Corneille et on a oublié les pièces de Voltaire. En revanche, les comédies du XVIIIe siècle continuent de nous séduire sans que la force comique de leur prédécesseur Molière ne leur fasse de l'ombre. On a retenu deux noms : Marivaux et Beaumarchais. Marivaux reprend la tradition classique mais, rangé du côté des Modernes et non des Anciens, il parvient à renouveler le genre.

Une comédie dans la tradition des classiques

Une composition classique

L'Île des esclaves est une comédie en un acte composée de manière traditionnelle : une exposition, des péripéties et un dénouement basé sur une surprise. Arlequin, dans la scène 9, renonce à une supériorité sociale récemment acquise ; c'est une sorte de coup de théâtre si l'on songe que Trivelin avait annoncé que l'expérience devait durer trois ans. La scène finale, comme dans les comédies de Molière, réunit l'ensemble des personnages.

Le respect des règles

Dans *L'Île des esclaves,* Marivaux respecte la règle des trois unités* de manière aussi rigoureuse que Racine. Il est vrai que la brièveté de la pièce favorise ce resserrement demandé par l'esthétique classique. L'action se déroule bien en un seul lieu et l'île, espace géographiquement limité, ressemble, d'une certaine façon, à la scène d'un théâtre. Si Trivelin annonce à la fin de la scène 2 que l'expérience des naufragés devra durer trois ans, tout s'accélère et les uns et les autres ayant rapidement progressé, les épreuves n'auront finalement occupé qu'un seul jour comme Trivelin le dit en guise de conclusion. Marivaux met en scène quatre naufragés mais leur destin se croise de sorte que l'on peut également parler d'unité d'action. L'ordre social est remis en cause par l'inversion et la critique des maîtres, notamment celle des femmes au travers du portrait d'Euphrosine par Cléanthis, est bien sévère. Mais Marivaux respecte la règle de bienséance* ; il sait jusqu'où il peut aller sans choquer. On le voit bien dans la scène 6 lorsque Euphrosine envisage une possibilité qui ne débouchera pas concrètement sur une scène : «*Inspirez à Arlequin de s'attacher à moi, faites-lui sentir l'avantage qu'il y trouvera dans la situation où il est.*» Dans la tradition des amours ancillaires, le spectateur n'est pas choqué de voir Arlequin, dans le rôle d'un maître, tenter de séduire Euphrosine en costume de servante. La maîtresse essayant de séduire le valet aurait choqué certainement davantage. L'île est un lieu utopique, un pur terrain d'expérimentation théâtral. Pourtant Marivaux respecte la règle de vrai-

À retenir

Les règles du théâtre classique Marivaux respecte les règles du XVIIe siècle : trois unités, bienséance et vraisemblance.

* *Cf.* Lexique.

semblance* en situant son intrigue dans un contexte historique relativement défini. De fréquentes références à Athènes ancrent l'histoire dans la réalité.

Les ressorts traditionnels du comique

Des personnages types

Molière, à la suite des auteurs latins, mettait en scène des personnages types ; on ne retrouve pas chez Marivaux les mêmes personnages mais l'idée de type reste un fondement du théâtre comique. C'est à la commedia dell'arte* que Marivaux emprunte les rôles qu'il va animer. Dans *L'Île des esclaves*, Arlequin et Trivelin sont deux valets types du théâtre italien. Ce sont des *zanni* ; c'est ainsi que l'on désigne ces valets tels Scapin ou Polichinelle. Le mot résulte sans doute de la déformation du prénom Giovanni souvent donné aux paysans très pauvres. Ainsi les losanges qui caractérisent le costume d'Arlequin rappellent les loques de la misère. Marivaux a écrit le texte d'Arlequin en pensant à l'acteur Thomassin dont les *lazzi** étaient célèbres. Lorsque Arlequin pousse des exclamations, il faut imaginer toutes sortes d'acrobaties variées. Trivelin fait également partie des *zanni*. Mais l'inversion qui préside au gouvernement de l'île en a fait une sorte de gouverneur et son esprit initialement calculateur s'applique ici à des fins plus morales.

Les trois autres personnages n'appartiennent pas à la commedia dell'arte, mais leur nom, comme les Géronte (c'est-à-dire vieux) de Molière, les inscrit aussi dans la catégorie des personnages types. Ainsi Iphicrate réunit la force *(iphis)* et le pouvoir *(crate)* : au début de la pièce,

* *Cf.* Lexique.

son autorité repose, en effet, sur le gourdin et sur l'épée. Le nom Euphrosine signifie « la joie » ; si la jeune femme était heureuse à Athènes, elle ne fait, au cours de la pièce, que se lamenter sur son sort, ce qui donne à son nom une connotation ironique. Cléanthis associe la gloire *(Kléos)* et la fleur *(Anthos)* : c'est le nom de la servante d'Alcmène dans l'*Amphitryon* de Molière et le rôle évoque bien le caractère énergique des servantes de Molière, on croirait parfois entendre le rire de Toinette *(Le Malade imaginaire)*. Son passé théâtral et son nom, tout comme le fait que le rôle soit confié à l'actrice Silvia, font de Cléanthis un personnage brillant qui contraste avec les lamentations d'Euphrosine.

Les formes comiques

Le comique de situation est un des principaux ressorts du comique. Il repose sur l'inversion et sur les combinaisons qui en résultent. L'échange des rôles se traduit par un échange de costumes qui débouche sur un décalage comique. Les esclaves, toujours spontanés et vulgaires, singent leurs maîtres et ne parviennent pas à se montrer à la hauteur de leur nouveau rang. Pourtant, ils ne sont pas la cible principale de la pièce et l'inversion permet de faire ressortir le ridicule des maîtres. Employé par les esclaves déguisés, le langage artificiel du code galant devient ridicule et vide de sens.

Lié au personnage d'Arlequin et à ses *lazzi* (voir plus haut), le comique de gestes dynamise chacune des scènes. Par exemple, au début de la pièce, Arlequin se montre uniquement préoccupé par sa bouteille (comme Sganarelle dans *Le Médecin malgré lui* de Molière) alors qu'Iphicrate présente une situation catastrophique (naufrage, compagnons noyés, menaces de mort...).

À retenir

Les sources du comique
Marivaux utilise les ressources du comique de situation, du comique de gestes et du comique de mots.

Les *lazzi**d'Arlequin s'accompagnent de pirouettes verbales et le comique de mots constitue une importante source de comique. C'est essentiellement dans l'enchaînement des répliques que réside le fonctionnement de ce comique. Elles rebondissent en prenant appui sur un mot de la réplique précédente et les registres se mêlent de manière subtile. Par exemple (scène 3) :

EUPHROSINE – Je ne sais où j'en suis.

CLÉANTHIS – Vous en êtes au deux tiers.

Dans cet échange, la reprise du verbe *être* assure la cohésion de l'échange alors que les registres s'opposent. La répétition souligne le décalage et produit un effet comique.

La tradition carnavalesque

Dès l'Antiquité, la comédie est associée à la fête ; elle participe aux cérémonies en l'honneur de Dionysos (Bacchus, le dieu latin du vin et de la fête) au cours desquelles tout est permis. La transgression de l'interdit devient même la règle. Le carnaval médiéval reprend cette tradition en supprimant les barrières : là aussi tout est possible et la fête devient une explosion de rire qui contraste avec un quotidien contraignant. La littérature comique s'est fortement inspirée de cette force carnavalesque et Mikhaïl Bakhtine dans *L'Œuvre de François Rabelais et la culture populaire au Moyen Âge et sous la Renaissance* a bien montré comment l'inversion était un principe comique efficace issu du carnaval. Opposé au monde ordinaire rigide, le monde de la fête et de la comédie propose des situations à l'envers. Molière dans *Les Fourberies de Scapin* met un jeune homme à genoux devant son valet et présente un valet frappant son maître enfermé dans un sac. Le pouvoir est aux petits et, dans la pièce de Marivaux, Trivelin et Arlequin sont les plus sages.

Un spectacle

Pour nous, lecteurs, *L'Île des esclaves* se présente comme
un petit livre, comme un enchaînement de répliques. Les
didascalies* ne sont pas très nombreuses et l'on a du mal
peut-être à se représenter la pièce, trop préoccupés que
nous sommes par la recherche des indices d'une critique
sociale pré-révolutionnaire. C'est une erreur : la fonction
première de la pièce est de distraire par un spectacle.
Marivaux écrit sa pièce pour les Comédiens-Italiens, et
notamment pour Thomassin (Arlequin) et Silvia (Cléanthis). Il faut imaginer derrière les « *Hé !* » ou les « *oh ! oh !* »
d'Arlequin des sauts périlleux ou autres acrobaties. Le
décor exotique a son importance et la scène 11 annonce
un divertissement qui rappelle que la comédie est un
spectacle avant d'être un texte.

D'ailleurs, à plusieurs reprises, Marivaux rappelle qu'il
ne s'agit que d'un spectacle et que les personnages sont
prisonniers de leur rôle prédéfini. À la fin de la scène 8,
Arlequin, dérouté par une Euphrosine aux accents tragiques, ne se sent plus à la hauteur de la situation et
s'arrête comme une marionnette : « *abattu et les bras
abaissés, et comme immobile. – J'ai perdu la parole* »
(p. 93, l. 53-54). Lorsque Trivelin dit à Euphrosine, après
la scène du portrait : « *Cette scène-ci vous a un peu fatiguée* » (p. 66, l. 1), on devine le clin d'œil d'un auteur
qui, malgré l'obligation de vraisemblance, nous montre
que tout est théâtre. De la même façon Arlequin s'écrie
dans la scène 6 : « *Nous sommes aussi bouffons que nos
patrons, mais nous sommes plus sages* » (p. 76, l. 75-77).
Sur cette scène aménagée en île, les esclaves comme les
maîtres ne sont que des bouffons.

À retenir

**La finalité
du théâtre**
Une pièce
de théâtre
est destinée
à être
représentée :
Marivaux
nous le
montre bien.

* *Cf.* Lexique.

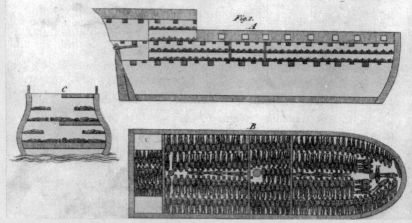

En philosophe des Lumières, Marivaux réfléchit à la société de son temps. Cette gravure du XVIIIe siècle nous montre les conditions dans lesquelles les esclaves voyageaient.

L'île des esclaves : une œuvre des Lumières

Marivaux et les philosophes des Lumières

Lorsqu'il renonce à ses études de droit, Marivaux se met à fréquenter le salon de Madame de Lambert où il rencontre des philosophes, notamment Fontenelle (voir p. 8). Dans la querelle des Anciens et des Modernes, il se range du côté des Modernes et prône la libération des formes littéraires plus que l'imitation scrupuleuse des Anciens. Dès 1717, on note son talent d'observateur critique de la société de son temps dans les articles qu'il publie pour *Le Nouveau Mercure*.

Cependant son succès naît avec *La Surprise de l'amour*, en 1722, au Théâtre des Italiens ; on l'apprécie pour la subtilité de ses analyses et surtout pour l'échange léger des répliques. Désormais, Marivaux est considéré comme un écrivain précieux alors qu'il ne fait que mettre en scène la préciosité. Cette réputation l'écartera du groupe des philosophes. De plus, Voltaire en veut à Marivaux d'avoir été élu à l'Académie française en 1742 alors que lui-même briguait le fauteuil ; il ne manquera donc pas de critiquer le dramaturge. On lui prête cette formule qui étiquette Marivaux et le chasse du « clan » des philosophes : « *grand compositeur de riens, pesant gravement des œufs de mouche dans des balances de toile d'araignée* ».

Longtemps on a gardé de Marivaux l'image restrictive qu'en donne Voltaire et on l'a écarté des Lumières, faisant

À retenir

Un Moderne Marivaux s'affirme favorable au renouvellement des formes littéraires.

de lui un écrivain de salon, préoccupé par le discours précieux de la séduction mondaine. *L'Île des esclaves* prouve le contraire. Marivaux est pleinement un écrivain du siècle des Lumières; c'est un Moderne qui renouvelle les formes littéraires et le langage théâtral en soulevant des problèmes de société.

Une œuvre divertissante

Marivaux a écrit *L'Île des esclaves* pour la Comédie-Italienne: Arlequin enchaîne les acrobaties et les jeux de scène. Tout est affaire de spectacle et de fantaisie; dans la scène 1, Arlequin, malgré une situation dramatique, chante et la pièce s'achève sur un divertissement annoncé par Trivelin: «*Que la joie à présent et que les plaisirs succèdent aux chagrins que vous avez sentis.*» Le décor choisi représente la mer, des rochers, quelques arbres et des maisons; on est bien loin du Paris de 1725. Dans ce «nulle part», pour reprendre la traduction du mot «utopie*», tout est possible et divertissant.

Les fonctions du comique

Qu'il s'agisse des *Lettres persanes* (1721) de Montesquieu ou de *Candide* (1759) de Voltaire, le comique est un registre récurrent au XVIIIe siècle car il permet d'associer le divertissement et l'argumentation.

Le divertissement séduit une époque qui aime les traits d'esprit et permet d'éviter la censure en posant les masques de la fiction et de la fantaisie sur des questions brûlantes. Le divertissement est le véhicule idéal de l'argumentation puisqu'il en atténue la portée aux yeux de la censure et, au contraire, l'intensifie pour le lecteur ou le spectateur.

* *Cf.* Lexique.

Une œuvre argumentative

En effet, le comique et la fantaisie véhiculent à la fois une critique et une morale. Il s'agit de la critique sévère de l'aristocratie des salons. Le portrait d'Euphrosine par Cléanthis est celui de toutes les coquettes apprêtées que Marivaux a pu observer dans les salons qu'il fréquente. Rien de grec ici. Le langage artificiel et vide de sens, la galanterie sans réels sentiments, le souci de plaire et les fausses amitiés sont montrés et dénoncés. La devise de la commedia dell'arte* reprise par Molière («*castigat ridendo mores*»: «elle corrige les mœurs par le rire») éclaire bien le projet de Marivaux.

L'Île des esclaves ne se contente pas de mettre en scène un message critique. Si Marivaux ne remet pas fondamentalement en cause la société de son temps, il propose de nouvelles valeurs, plus humaines.

À retenir

Une vision critique
Marivaux, dans *L'Île des esclaves*, donne une image critique des salons de son époque.

Un regard porté sur la société

La distance critique

Marivaux a fréquenté les salons et écouté les dialogues précieux et galants des mondains; sans doute a-t-il posé sur ces amours artificiels un regard critique qu'il met en scène dans ses comédies. Dans *L'Île des esclaves*, Trivelin incarne cette distance critique; il est ce que Jean Rousset (dans son ouvrage *Forme et Signification*) appelle la «conscience spectatrice». Ce procédé de mise à distance se retrouve sous une autre forme dans les *Lettres persanes* de Montesquieu, dans *L'Ingénu* et dans *Candide* de Voltaire. Il nous montre au XVIIIe siècle l'importance de cette raison critique qui pose un regard

* *Cf.* Lexique.

neuf ou lucide sur la société, point de départ de toutes les remises en cause.

Une vision de la société

Sous le masque rassurant de l'Antiquité, Marivaux évoque le milieu des salons du XVIIIe siècle. Impossible de s'y méprendre. Le portrait d'Euphrosine par sa servante est bien celui d'une précieuse. Marivaux dénonce le langage vide des mondains et les amitiés fausses. Mais il est vrai que Molière déjà, dans *Les Précieuses ridicules*, avait caricaturé l'univers des salons et mis en scène une forme d'inversion : les valets se font passer pour des maîtres afin de ridiculiser Cathos et Magdelon.

Marivaux va plus loin puisqu'il envisage toute une société fonctionnant de manière inversée. Trivelin l'esclave a le dernier mot de la pièce et ses paroles ont force de loi. Ce n'est pas dans la promotion inespérée d'Arlequin et de Cléanthis qu'il faut chercher la nouveauté de la pièce car leur nouveau statut est éphémère. La nouveauté réside dans les valeurs morales qui prennent finalement le pas sur la hiérarchie sociale. Dans la scène 10, la leçon de Cléanthis est tout à fait claire : « *Il faut avoir le cœur bon, de la vertu et de la raison ; voilà ce qu'il faut, voilà ce qui est estimable, ce qui distingue, ce qui fait qu'un homme est plus qu'un autre* » (p. 110, l. 34 à 36). À aucun moment Cléanthis n'affirme qu'elle reprend sa condition d'esclave, elle dit seulement à Euphrosine : « *je vous rends la liberté* » (p. 111, l. 59-60) ; Euphrosine l'a bien compris d'ailleurs puisqu'elle termine la scène par ces mots : « *ne songe plus désormais qu'à partager avec moi tous les biens que les dieux m'ont donnés* » (p. 111, l. 70 à 72). On n'est pas si loin du Figaro de Beaumarchais.

À retenir

Une vision morale
Marivaux invite le spectateur à tirer une leçon morale de la pièce.

Le renouvellement des formes littéraires

L'île : un thème à la mode

En 1719, Daniel Defoe connaît un très grand succès avec *Robinson Crusoé* et le thème des naufragés devient récurrent dans la littérature. Marivaux l'avait déjà traité en 1713 dans un roman de jeunesse, *Les Effets surprenants de la sympathie.*

L'esthétique de la brièveté

L'Île des esclaves est une pièce en un acte et tout se joue sur le mode de la concision (voir p. 128), qu'il s'agisse du traitement du temps ou de l'espace.

Cette esthétique de la brièveté se retrouve chez les auteurs des Lumières qui privilégient les anecdotes, apprécient le fragmentaire (la lettre chez Montesquieu ou chez Voltaire, les petits chapitres de *Candide*) et ont le sens de la formule.

La brièveté va jusqu'à l'allusion. Iphicrate se contente d'évoquer ses compagnons de voyage dans la scène 1 et Cléanthis esquisse à la fin de la scène 6 une combinaison amoureuse qui ne sera pas développée : « *Inspirez à Arlequin de s'attacher à moi.* »

Quand Molière traitait de manière classique les scènes doubles dans *Les Fourberies de Scapin* (deux grandes scènes parallèles pour extorquer de l'argent aux pères), Marivaux, lui, choisit le raccourci : la scène 5 au cours de laquelle Arlequin dresse le portrait d'Iphicrate est beaucoup plus légère que la scène 3 qui lui correspond.

À retenir

Une forme resserrée
L'espace, le temps et l'intrigue sont concentrés pour plus d'efficacité.

Le marivaudage

À l'époque de Marivaux le terme de « marivaudage » a été inventé par les critiques pour reprocher à l'auteur son style précieux et léger. Maintenant, il a perdu sa connotation négative pour désigner cet art subtil de l'enchaînement des répliques, notamment dans les comédies organisées autour d'une intrigue amoureuse. Chez Marivaux ce sont les paroles des personnages qui constituent la trame même de l'intrigue. Il n'y a pas à proprement parler d'action, si l'on excepte les *lazzis**, et tout le dynamisme provient de la confrontation dans le dialogue. La tension entre les personnages, résultat de la différence de condition sociale, est un élément moteur qui s'exprime par l'usage de la stichomythie*. Les reprises de mots qui permettent aux répliques de rebondir les unes sur les autres assurent une souplesse qui permet la progression des consciences et de l'intrigue :

> EUPHROSINE – Respecte donc le malheur que j'éprouve.
> ARLEQUIN – Hélas ! je me mettrais à genoux devant lui.
> (scène 8)

Ou bien (scène 10)

> EUPHROSINE – Ah ! ma chère Cléanthis, quel exemple pour vous !
> IPHICRATE – Dites plutôt quel exemple pour nous, Madame, vous m'en voyez pénétré.

Ces deux extraits montrent bien comment l'enchaînement repose sur une reprise et permet la progression morale des personnages et de la situation.

La modernité de Marivaux réside dans cet usage du langage. Certes le texte n'est que le support, le scénario d'un spectacle dans l'esprit d'improvisation de la commedia dell'arte*. Mais Marivaux, écrivain des Lumières, a

* *Cf.* Lexique.

compris que le langage est un instrument de pouvoir et il joue sa pièce sur tous les registres qui s'offrent à lui. Langage vide des mondains qui se trouve caricaturé, langage naïf et spontané des valets, langage transparent des sentiments dans la bouche d'Euphrosine (scène 8), langage du pouvoir dans la bouche des maîtres, anciens ou nouveaux, langage qui a force de loi et de vérité chez Trivelin, langage qui fait rire et langage qui donne à penser : dans cette comédie réduite à un acte, Marivaux donne aux mots tout leur sens et tout leur poids.

Mise en scène

Peu appréciée au XIXᵉ siècle, *L'Île des esclaves* entre au répertoire de la Comédie-Française en 1939, pour célébrer le centcinquantenaire de la Révolution. C'est surtout à partir de 1960 que les metteurs en scène s'intéressent à cette comédie de Marivaux : Jacques Sarthou et Jacques Charron en 1961, Guy Rétoré en 1963, Simon Eine en 1973, Jean-Claude Penchenat en 1980 en 1961. La tendance de ces mises en cène est de mettre en relief la dimension critique, voire révolutionnaire de la pièce.

Giorgio Strehler

En 1995, Giogio Strehler, le fondateur du Piccolo Teatro de Milan, présente du 6 au 16 juillet, au théâtre de l'Odéon à Paris une mise en scène qui fait date dans l'histoire de la représentation de la pièce car elle renoue avec la tradition populaire et farcesque de la commedia dell'arte.

Chantal Boiron commente cette mise en scène dans la revue *L'Année du Théâtre* de Pierre Laville :

[...] *L'Île des esclaves* (1725), aux résonances philosophiques, semble contenir tous les idéaux humanistes du siècle des Lumières. Que l'on ne s'y trompe pas, nous rappelle Strehler, dont on a pu voir la très belle mise en scène au Théâtre de l'Odéon : 1789 est encore très loin ! Dans cette île où les a conduits un naufrage, maîtres et valets échangent leurs habits. Chez Marivaux, c'est une habitude. Mais, dans cette pièce, Marivaux s'interroge sur la signification d'un tel geste. Sur cette île, les maîtres doivent apprendre à exercer leur pouvoir à bon escient et à se comporter comme des princes éclairés. Dans le spectacle de Strehler, c'est avec violence qu'Arlequin peint son masque sur le visage de Monsieur. C'est avec violence que Silvia arrache les vêtements de Madame. Il y a, déjà, remise en question du pouvoir social. Cependant, l'ordre établi n'est pas renversé. C'est une révolution interne. Il y a *transformation, métamorphose des personnages. Lorsqu'à la fin, maîtres et valets se retrouvent habillés exactement de la même façon, cette dernière image est très symbolique. Une nouvelle société peut naître, plus humaine et plus juste. [...]*

Chantal Boiron « Corneille, Marivaux, Feydeau »,
dans *L'Année du Théâtre*, 1994-1995, Éditions Sand.

Avant de publier le 10 juillet, un entretien avec Giogio Strehler, le journal *Le Monde* consacre un important article à la représentation de *L'Île des esclaves*, le 5 juillet.

Giorgio Strehler s'invite chez Marivaux
avec L'Île des esclaves

[...] C'est à ni rien comprendre. Pour avoir vu la nouvelle mise en scène du directeur du Picolo Teatro de Milan, L'Île des esclaves, il est difficile d'imaginer comment le metteur en scène a pu retarder à ce point son entrée chez Marivaux. Il a beau soutenir qu'il n'a jamais cessé de lire les pièces des maîtres français, qu'elles l'ont même inspiré lors de la fabrication de plusieurs de ses spectacles, comme La Tempête, de Shakespeare, ou L'Illusion comique, de Corneille, on ne peut s'empêcher de lui en vouloir. Car le spectacle présenté à l'Odéon est un bijou, une merveille bien dans le style de cet orfèvre, frère en scène des grands du répertoire classique, refondateur de la commedia dell'arte* à deux siècles de distance de son aîné (et jumeau) Carlo Goldoni, diable d'invention qui sait l'alchimie du masque et de la scène. [...]
Là, dans une faible lumière, on aperçoit sous la scène une habitation troglodyte taillée dans une roche claire. Au-dessus s'étend une vaste plage de sable blond ondulant doucement jusqu'au lointain. Le cadre de la scène est constitué d'un portique du plus pur style néo-classique frappé, en français dans le texte, du titre de la pièce (décor d'Ezio frigero). La tempête nous est donnée en ombres chinoises, derrière un velum translucide sur lequel est peinte au tremblé une nature d'apparence tropicale. Deux hommes apparaissent, surgis en droite ligne des tréteaux de la commedia dell'arte : Arlequin (Massimo Ranieri), torse nu, un masque de cuir fauve sur le visage. Monsieur (Luciano Roman), son maître, est nu, débarrassé des oripeaux de sa condition antérieure. Au-delà du velum, Madame (Pamela Marinori), celle qui fut sa servante et qui doit l'aider, sous les coups, à retrouver sa dignité perdue. Pugilat là-bas, comédie ici, Arlequin dialoguant avec une bouteille de vieux rhum et commençant de jouir sérieusement de sa liberté toute

* *Cf.* Lexique.

neuve. Dans la salle surgit un vieil homme appuyé sur une canne. Trivelin (Philippe Leroy-Beaulieu), grand maître de l'île, un manteau rose défraîchi jeté sur un costume noir, raconte, essentiellement en français, l'histoire des trois îles et dit la loi : maîtres et esclaves devront intervertir leur rôle.

Jusqu'au dénouement, nous retrouverons la manière Strehler, qui multiplie les facéties jusqu'à la truculence et suscite l'émotion jusqu'aux larmes. On ne sait pas comment il fait pour donner tant de densité aux textes qu'il sert en apôtre, comment il peut rendre avec autant de précision chaque mot de la pièce tout en exigeant de ses interprètes un engagement physique constant, qui tient tantôt de la danse, tantôt du combat, voire de la cascade. Le spectateur est transporté dans un ailleurs miraculeux où tout concourt, une nouvelle fois à son enchantement, enfant saisi par les sortilèges d'un Italien sans pareil.

Olivier Schmitt, *Le Monde*, 5 juillet 1995.

Lexique d'analyse littéraire

Amour courtois Amour idéalisé au Moyen Âge.

Baroque Courant esthétique du début du XVIIe siècle qui, à la différence du classicisme, laisse libre cours à la fantaisie, aux formes multiples produites par l'imagination.

Bienséance Règle du théâtre classique selon laquelle on ne doit pas présenter de situations susceptibles de choquer le code moral.

Blason du corps féminin Genre poétique au XVIe siècle qui consiste à détailler le portrait d'une femme aimée.

Champ lexical Ensemble de termes se rapportant à une même notion.

Classicisme Courant esthétique du XVIIe siècle qui repense l'art antique et privilégie l'art et l'équilibre.

Commedia dell'arte Théâtre italien caractérisé par l'importance des jeux de scène et de l'improvisation à partir d'un canevas appelé scénario.

Contrainte scénique Contrainte liée à l'espace réduit de la scène, aux possibilités techniques, à la durée de la représentation.

Deus ex machina Personnage qui, au théâtre, vient dénouer une situation sans issue.

Didactique Qui véhicule un enseignement, une morale.

Didascalie Dans un texte de théâtre, indication scénique qui précise le ton d'une réplique, le geste ou le déplacement d'un personnage.

Dramaturge Auteur de pièces de théâtre.

Ellipse Saut dans le temps, omission d'événements en général sans intérêt pour l'intrigue.

Énonciation Fait de produire un énoncé, tout acte de parole; les éléments de la situation d'énonciation sont: le locuteur, le destinataire, le lieu et le moment de la parole.

Épicurien Se dit d'une philosophie héritée d'Épicure (philosophe grec ayant vécu en 341-270 av. J.-C.) selon laquelle il faut profiter des plaisirs de l'existence.

Épistolaire Par lettres.

Exposition Premières scènes d'une pièce au cours de laquelle sont présentés au spectateur les éléments indispensables à la compréhension de l'intrigue.

Farce Genre théâtral populaire comique au Moyen Âge.

Hyperbole Procédé de style qui consiste à exagérer.

Injonctif Impératif, qui exprime un ordre ou un conseil.

Lazzi Jeu de scène comique; dans la commedia dell'arte, il s'agit souvent d'acrobaties.

Libertin Qui se montre libre dans ses pensées et dans ses mœurs.

Mélioratif Se dit d'un vocabulaire qui présente une réalité sous un jour positif.

Métaphore Comparaison privée de l'outil de comparaison.

Monologue Scène dans laquelle ne figure qu'un seul personnage.

Nouveau Roman Courant littéraire de la seconde moitié du XXe siècle qui, remettant en cause le roman du XIXe siècle, explore les différentes possibilités du genre romanesque.

Pléonasme Terme qui n'apporte aucun renseignement nouveau quant à ce qui vient d'être énoncé.

Point de vue Regard d'un personnage, d'un narrateur ou d'un auteur sur la réalité évoquée.

Pointe Trait d'esprit final dans un texte satirique.

Programmatique Qui annonce ce qui va se passer par la suite.

Protagoniste Personnage impliqué dans une histoire donnée.

Récurrent Qui se produit à plusieurs reprises.

Registre Tonalité (tragique, lyrique, fantastique, comique…) d'un texte.

Sémantique Relatif au sens d'un mot.

Stichomytie Au théâtre, échange rapide de répliques brèves.

Surréaliste Courant artistique de l'entre-deux-guerres qui propose une vision nouvelle de la réalité.

Syntaxe Construction de la phrase.

Topos Lieu commun, cliché.

Unités Règles du théâtre classique; les trois unités sont l'unité d'action (la pièce ne développe qu'une seule intrigue), l'unité de lieu (un seul lieu), et l'unité de temps (un seul jour).

Utopie Lieu et société imaginaires, idéalisés; l'utopie est souvent un moyen de critiquer la réalité présente.

Vraisemblance Règle du théâtre classique selon laquelle on ne doit représenter sur scène que des situations crédibles.

Bibliographie, filmographie

Quelques ouvrages sur le théâtre

– Anne Ubersfeld, *Lire le théâtre*, Éditions sociales, 1978.
– Pierre Larthomas, *Le Langage dramatique*, Armand Colin, 1972.

Quelques ouvrages critiques sur Marivaux et sur son œuvre

– Jean Rousset, « Marivaux et la structure du double registre » dans *Forme et Signification*, Éditions José Corti, 1962.
– Henri Coulet et Michel Gilot, *Marivaux, un humanisme expérimental*, Larousse, collection « Thèmes et Textes », 1974.
– Paul Gazagne, *Marivaux*, Éditions du Seuil, collection « Écrivains de toujours », 1954.
– Gil Charbonnier et Danielle Jaines, *Étude sur Marivaux, L'Île des esclaves*, Éditions Ellipses, collection « Résonances », 1999.
– Yen Mai Tran, *Marivaux, L'Île des esclaves*, Éditions Bréal, collection « Connaissance d'une œuvre », 1999.
– Bruno Doucey, *L'Île des esclaves, Marivaux*, Éditions Hatier, collection « Profil d'une œuvre », 1999.

Quelques ouvrages et quelques films pour mieux comprendre le XVIIIe siècle

– Marivaux, *Le Jeu de l'amour et du hasard*, 1730.
– Beaumarchais, *Le Mariage de Figaro*, 1784.
– Diderot, *Jacques le Fataliste et son maître*, 1796 (roman rédigé en 1773).
– Voltaire, *Candide*, 1758 (les chapitres 17 et 18 présentent l'univers utopique de l'Eldorado).
– Milan Kundera, *Jacques et son maître*, Gallimard, 1981, collection Folio (réécriture sous forme théâtrale du roman de Diderot).
– Beaumarchais, *L'Insolent*, d'Édouard Molinaro, 1996, avec Fabrice Luchini, Michel Serrault, Michel Piccoli, Jean-Claude Brialy, Sandrine Kiberlain, Manuel Blanc.
– *Ridicule*, de Patrice Leconte, 1996, avec Charles Berling, Fanny Ardant, Judith Godreche, Jean Rochefort, Bernard Giraudeau.
– *L'Anglaise et le Duc*, d'Éric Rohmer, 2001, avec Lucy Rohmer, Jean-Claude Dreyfus, Marie Rivière.

Conception graphique
Couverture : *Laurent Carré*
Intérieur : *ELSE*

Mise en page
Alinéa

Imprimé en Italie par Rotolito Lombarda
Dépôt légal : Mai 2012 - Collection 64 - Edition 10
16/8696/3